JN097781

銃とアメリカ

銃と生きた4人のアメリカ人

大橋義輝
Yoshiteru Ohashi

共栄書房

アメリカと銃——銃と生きた4人のアメリカ人◆目次

プロローグ

二〇二〇年は幕開けからトンデモナイ事態に見舞われた。

新型コロナウイルスの猛威にWHO（世界保健機関）はパンデミック――感染症の世界的な大流行――を宣言した。コロナ旋風はたちまちヨーロッパからアメリカへ飛び火し、七月上旬の感染者数は全世界で一〇〇〇万人を超え、死者は数十万人となった。

当初は中国・武漢から発生したといわれた新型コロナウイルスだが、感染者数を国別でみると、アメリカがワーストワンだ。米ジョンズ・ホプキンズ大学システム科学工学センターによると、米国内の感染者数は一〇〇万人を超え、死者は五万八三〇〇人（四月二八日現在）。これはベトナム戦争で死亡したアメリカ兵の数（五万八二二〇人）を上回るという。

そもそも二〇二〇年は、夢のある期待すべき年であった。

日本では言わずもがな東京五輪の年であったが、延期となった。

アメリカでも四年に一度の大イベントを控えている。お祭りともいわれる大統領選挙である。全国民が参加できるため、アメリカでは五輪以上のイベントともいわれる。

ところがコロナ旋風の襲来で、お祭りどころではなくなった。とはいえ大統領選は、五輪のように延期というわけにはいかない。

ご存知の通りアメリカは二大政党制である。共和党は早々とトランプの二期目を支持した。

これに対し民主党は当初、女性二人を含む十数名が候補者に名乗りをあげる乱立ぶりであった。けれども日が経つにつれて次々と候補者は撤退し、結局、前副大統領のジョー・バイデンだけが残った。だが七七歳の高齢に加え、セクハラ疑惑も浮上している（四月二七日付「産経新聞」）。したがってトランプに打ち勝つことはできないだろうというのが、大方の見方である。

とはいうものの、何が起きるかわからないのがアメリカ大統領選挙だ。現大統領のトランプにしてから、二〇一六年大統領選での下馬評は高くなかった。

なにより、未だ収束しないコロナウイルス大流行である。イギリスのボリス・ジョンソン首相（五五歳）がコロナに感染し、一時はＩＣＵ（集中治療室）に入って命の危険さえあった。幸い退院して今は元気をとり戻しているが、万が一トランプが感染すれば一大事であろう。なにしろ高齢なだけに危険はさらに高まるはずだ。

トランプ大統領はその振る舞いが「トランピズム」といわれ、女性に対して品位を落とす態度、メディアを威圧する言動、さらに憎悪表現の乱発と、批判材料には事欠かない。実際、ロシア疑惑やウクライナ問題で訴追されたり、イランとの諍いでは一触即発の危険性すら孕んでいた。現在のコロナ禍に乗じて強気な態度を打ち出し、支持を回復する向きも見られるが、この間の舵取りの危うさを鑑みれば、次期大統領は誰になるのか予断を許さないのである。

そもそも今年の大統領選挙の争点の一つは銃規制であった。銃の乱射事件が相次ぎ、全米各地で大規模なデモが行われ、アメリカ国民の分断を加速する要因となっていた。けれども二〇二〇年になって、銃規制はトンと話を聞かなくなった。コロナ旋風のあおりを受けたとはいえ、あの百万人を超えるデモは、一体どこへ行ってしまったのか——。

もっとも銃規制が大統領選の争点になるのは、今に始まったことではない。とくに一九八〇年の大統領選挙には、民主党のエドワード・ケネディ候補が銃規制推進派として臨んだ。かのジョン・F・ケネディの実弟であるエドワードの出馬は、当時台風の目と言われたものだった。

一方、共和党候補で銃規制に否定的なレーガンは選挙中、ニューハンプシャー州の銃砲店を訪れた。この模様が地元の新聞（「マンチェスター・ユニオン・リーダー」紙一九八八〇年二月二二日付）に掲載された。題して、「レーガン、銃所持者グループから喝采を受ける」というものであった。

結局この時の大統領選では、エドワード・ケネディ候補は過去のスキャンダル（チャパキディック事件）の影響が尾を引き、民主党の代表にすらなれなかった。結果的に、民主党は現職で二期目を目指すジミー・カーター、共和党は元西部劇俳優のロナルド・レーガンの一騎打ちとなった。

銃規制否定派であったレーガンのかかげたスローガンは、「アメリカを再び偉大にする」（to Make America Great Again）というもの。なにやら聞いたような言葉と思うのは、トランプ大統領がよく口にしているからだ。そしてレーガンはカーターを破り勝利、時に69歳だった。これはトランプに抜かれるまで史上最高齢のアメリカ大統領であった。

トランプとレーガンは共通する部分が多い。というよりもトランプはレーガンをお手本としている。高齢で大統領になったこと。タカ派で銃規制に反対の立場であること。さらに歴代大統領で初の離婚歴があったのがレーガンだったが、トランプも同様に離婚歴があること。そして二人とも内外に〝強いアメリカ〟をアピールする点も同じだ。

しかしなんといってもトランプがレーガンをお手本にするのは、頑強な〝呪い〟を初めて打ち破った大統領であったからに違いない。

〝呪い〟とは、アメリカ大統領の歴史に存在するといわれる「テカムセの呪い」のこと。西暦で二〇の倍数の年に選出された大統領の暗殺や不慮の死を招く、と一部で信じられている忌まわしいものだ。テカムセはインディアンのリーダーの名前。アメリカ人と戦い無念の死を遂げた人物のことである。

レーガンが大統領に選ばれたのは一九八〇年で、まさに二〇年周期に当たっていた。そして彼は暗殺の対象にされ、スナイパーの放った弾丸を胸に受けたのであった。〝呪い〟を信じた多くのアメリカ人は、「ああ、やっぱり」と思ったであろう。

ところが病院に運ばれ緊急手術を受けた結果、レーガンは奇跡的に助かった。その後、レーガンは大統領職を二期八年務め、九三歳まで長生きしたのである。トランプがお手本にするのは、こういったレーガンの強運も含めた「強さ」なのだろう。

とはいえ二〇二〇年の今年は、再びこの呪いが始まる年にあたる。そしてこのコロナ旋風……。果たしてトランプがこのジンクスを乗り越えることができるか、そういった意味でも今年の大統領選挙には注目が集まる。

さて本書は、アメリカ社会と銃の関係を考えるものである。きっかけは昨今の銃乱射事件の多発であった。なぜゆえに彼の国で銃乱射事件は繰り返し起きるのか。そう考えた時、まず何よりアメリカという国が、その成り立ちからして銃とは切っても切れぬ関係であることを理解する必要がある。銃はアメリカそのもの、と言っても過言ではない。

私はかつてアメリカに住んでいた頃、銃を突きつけられた経験がある。

――やることなすこと上手くいかず、やたらと「権力」に抗っていた二〇代の頃、折しもベトナム戦争の真っただ中であった。若者たちが海を渡りバックパッカーとなった時代。そうした流れの中で私はヒッピーに憧れていた。長髪にジーンズ、一見浮浪者のようだが自由を謳歌し平和を訴える様に「権力」に抗う姿勢を感じ、私は勝手に共感していた。とくにヒッピーの元祖的な存在で作家のジャック・ケルアック（『路上』の著者）、ニュージャーナリズムの旗手、ハンター・S・トンプソン（『ヘルズ・エンジェルズ』の著者）に夢中となった。日本のバックパッカーの先駆け的存在であった小田実の『何でも見てやろう』に熱狂した。自分も外に出ようと思った。そして海を渡った。目指すはカリフォルニアであった。

私はアメリカで大学に籍を置いていたものの、言葉の壁もあって友達がなかなか出来ず授業をスキップ、ほとんどの時間を図書館で過ごしていた。

その頃、ヒスパニック系（現地ではチカーノと呼ばれていた）の女性と知り合った。同じドミトリ（大学の寮）に住んでいたこともあり、顔は見知っていた。少しずつ話しているうちに意気投合し、以来、週末はレンタカーを借りてあちこちに出かけた。ベイブリッジ、ゴールデンゲートブリッジは言うに及ばず、風光明媚なカーメル、サンフランシスコ動物園、見上げれば漆黒の闇にきらめく星空のアラムロック。下方にはサンフランシスコの夜景が広がり、息を飲む美しさだった。夏休みにはフォード・ピントで海岸線のハイウェイ101をぶっ飛ばし、バンクーバーまで足を伸ばしたこともあった。

そんな日々のなかで、忘れられぬ事件がある。数十年経った今でも、耳の奥にある言葉が残っている。

土曜日の夜のドライブと洒落込んだ日のことだった。好奇心からある森の中に入った。道は舗装されていて走りやすかったが、曲がりくねっていてまるで迷路。あたかもサーキットを走っているような錯覚を覚えた。あるいはアニメの世界に潜り込んだ気分だろうか。ある種のゲーム感覚でハンドルを右に左に切った。周囲は樹木が鬱蒼としており、今にも妖精、いや悪魔が出てくるような風情であった。

一体どこに辿り着くのだろうか。女友達は「怖いわ」「戻ろうよ」と言ったが、好奇心旺盛だった二〇代の私は無視してアクセルを踏み続けた。

すると前方に、ほんのり灯りらしきものが見えた。漆黒の闇に次第に浮かび上がったのは、ゴシック建築風の三階建ての館だった。深い森の中に突如現れた古い館。ひょっとすると美しい妖精でも住んでいるのか。はたまたバルザック『谷間のゆり』の女主人のような、魅力的な女性がいるのだろうか。勝手に想像が膨らんだ。

車をさらにゆっくりと進ませた。と、「Who You！（お前は誰だ！）」と大きな声が森の中にこだました。声の主は家の玄関前に立っていた。身長二メートル、体重百キロ超と思しき大男。手にはライフル銃を構えている。生まれて初めて銃を突きつけられた瞬間であった。

わたしは大きな声で即座に応えた。

「道に迷っただけです、すぐUターンします！」

迷路のような森林は大男の私有地であった。無断でずかずかと侵入してしまったのだから、発砲されても文句は言えない。

もし私があの時撃たれていたとしても、それは「正当防衛」として、撃った側が罪に問われるようにはならない。現に最近（二〇一九年一〇月）もフロリダ州で、父親の誕生日を祝うためにサプライズで訪問したところ、侵入者と勘違いされた義理の息子が銃で撃たれて死亡する事件があった。しかし捜査当局は、「まったくアクシデントだ」として訴追しなかった。

――これがアメリカなのだ。私はあの時、ただ運が良かっただけなのだ。

今も耳の奥に響く大男の叫び声を聞きながら、アメリカと銃の、想像を絶する深い関係を探っていきたい。

第1章　銃社会アメリカ

アメリカの日常

米国での銃による事件をまとめたサイト「Gun Violence Archive」によると、二〇一九年（八月現在）の乱射事件は二五一件だった。

とくに八月の一週間だけでも、テキサス州、オハイオ州、カリフォルニア州で乱射事件が相次いだ。たとえば、九人が亡くなり二七一人が負傷したオハイオ州デイトン市の乱射のその日（八月四日）、シカゴでも二件が発生した。さらに翌日はテキサス州エルパソでも二二人が死亡、二六人が負傷した。またカリフォルニア州ギルロイ市で開催されたイベント会場で三人が銃殺され、一五人が負傷した。さらにテネシー州メンフィスでも銃の事件は起きた。そしてニューヨークではギャングの抗争絡みの銃殺事件があった。

つまりアメリカでは、銃にまつわる事件は「日常化」しているのである。発砲事件というくくりで言えば、(日本では報じられないが)ほぼ毎日と言っていいほど事件が起きている有様だ。

アメリカには銃の販売認可を受けた店が五万以上あると言われる。中でも有名なのが世界最大のスーパーマーケットチェーン、ウォルマートで、四七五〇店舗のうち約半分で銃を取り扱っているという。乱射事件が起きるたび、このあまりに身近な銃販売店への批判が高まる。

ウォルマートでは相次ぐ銃事件を受け、二〇一五年には殺傷能力の高いライフル銃の販売を中止した。加えて銃を購入できる年齢を一八歳から二一歳に引き上げたのである。だが、銃の事件は無くならなかった。それどころかウォルマートの店舗(ミシシッピ州)で、従業員同士の諍いから銃を発砲し、同僚二人が銃殺される事件も起こった。

アメリカ社会と銃の身近さということでは、こんなエピソードもある。

コロラド州のライフル街に、一風変わったレストランがある。名前を「シューターーズ・グリル」というこの店がなぜ変わっているかといえば、店員がみな腰に拳銃をつけているのだ。店員だけではない、客も拳銃を腰からぶら下げている。もちろん本物の銃だ。

万が一客同士で揉め、西部劇さながらの銃撃戦にでもなったらと、気にはなる。けれども銃の撃ち合いはこれまでに一度もない、という。店のメニューは「Derringer」「M16 Burrito」「Rifle Burger」など銃の名にちなむものばかり。チップは、現金の代わりに弾丸でもＯＫというから驚きである。

この店は二〇一三年にオープンした。それまではふつうのレストランであったが、近所で起きた銃殺事件がきっかけという。客と従業員を守るために何とかしなくては、と店主は知人に相談。すると「コロラド州はオープン・キャリー（open carry）」と教えられた。これは、「公共の場で他人に見えるかたちで銃を携行できる」というもの。ならば銃の携帯ができるレストランをオープンさせようと決意したというわけだった。全米初の銃携帯ＯＫの店とあって注目され、人気レストランとなった。

史上最悪の乱射事件

生活の中に銃があるアメリカでは乱射事件が頻発しているが、なかでも史上最悪の犠牲者を出したラスベガスの無差別乱射事件（マス・シューティング）は桁外れであった。

二〇一七年一〇月一日、カントリーミュージックの野外コンサートの開催中に事件は起こった。午後一〇時八分、一万数千人の観客であふれている会場にいきなり頭上から弾丸が降り注いだ。発射元はカジノホテル「マンダレイ・ベイ」の三二階からだった。乱射は約一〇分間続き、その結果五九人が死亡、五四六人が負傷した。ホテルの部屋からは、AR－15系ライフル及びAK－47系ライフルを含む二三丁の銃が発見された。うち二丁は三脚で固定されていた。

犯人はネバダ州在住の六三歳の男だった。男の自宅から一八丁の銃と数千発の銃弾も発見された。犯人は乱射後に銃により自殺したため、乱射の本当の動機は永遠にわからず闇の中に没してしまった。

それにしても、ホテルに銃やライフルが大量に運び込まれたこと自体がありえない。ホテル側の杜撰さが浮き彫りにされたわけだが、背景にアメリカ社会の銃に対する〝寛大さ〟があるのかとも思ってしまう。

この史上最悪の乱射事件は世界中に伝えられ、ワシントン、ロサンゼルス、ニューヨーク等全米七〇〇か所では銃規制の強化を訴えるデモが行われた。その規模は一〇〇万人を超した。何の理由もなく不意に銃によって命を落とした犠牲者の友人、肉親らが涙で訴える悲痛な叫びも映像で流された。

近年にない盛り上がりを見せた銃規制デモの一方で、トランプ大統領は沈黙を守った。この姿勢に、トランプを支持する全米ライフル協会は内心「よし！」と拍手したに違いない。来たるアメリカの大統領選挙の焦点の一つは銃規制と言われているものの、これまで銃規制に関する正式なメッセージの発信はない。

これほどの惨事をもってしても、アメリカには銃規制に反対する勢力が根強く存在する。銃規制に消極的なトランプが大統領就任直後、あるTシャツが売り出された。すると瞬く間に売り切れたが、人気の理由はTシャツにプリントされた文字であった。「GOD GUNS AND TRUMP」（神と銃保持とトランプ）。こういった価値観はなかなか日本人には理解しがたいものがある。ちなみにこのTシャツはネットでは高値で取引されているらしい。

現在、アメリカには約三億丁の銃が存在しているという。そしてこれらの銃によって毎年命を落としている人は約三万人とも言われる。しかしこれらも氷山の一角であろう。

憲法で保障された「武装権」

「現代における最高の知識人」（英国ガーディアン紙の世論調査）の一人といわれるマサチューセッツ工科大学のノーム・チョムスキー教授は、「今アメリカが抱えている諸悪の根源は銃文化だ」と言い、さらにこう続ける。

「何とかせねばならないと思っていても、どうすることもできないのだ」

なぜか。まず、銃の所有は合衆国憲法で保障された権利なので、憲法を改正しない限り、これを制限することはできない。

米国憲法修正第二条では「規律ある民兵は自由な国の安全にとって必要であるから、人民が武器を保蔵しまた携帯する権利は侵してはならない」となっている。これは、「武装権」の根拠となっている条文だが、州に認められた集団的権利なのか、個人に認められた個人的権利なのかは解釈の分かれるところで、銃規制論者・反規制論者の争点となっている。その部分は置いておいても、この条文の背景には「政府の圧政を防止するために銃が必要だ」という考えがあり、これが銃規制を妨げる要因と分析する専門家もいる。

さらに憲法に加えて、建国以来根付いた「自分の身は自分で守る」という考え方がある。銃を持たない状態では、肉体的に優れたものが劣るものを暴力で支配することになる。だが、銃を持てば、体力で劣るものが体力で勝るものに対抗することが可能となり、公平さが保たれる。加えて広大な国土を持つアメリカでは、人口密度の低い地域で自らの身体や財産に危険が及びそうになった場合に、警察を呼んでも到着までに相当な時間を要する。このため自警する必要があり、銃は不可欠だというのだ。

誰がアメリカ大陸に銃を持ち込んだのか

そもそもアメリカ人のルーツは、イギリスから新天地を求めてやってきた清教徒（ピューリタン）の白人たちだった、というのが通説である。

推定全長九〇〜一一〇フィート（二七・四〜三三・五メートル）、全幅二五フィート（七・六メートル）、重量一八〇トンの船に乗客一〇二人が乗り込み、イギリス南西部プリマスからメイフラワー号が出航したのは、一六二〇年九月のことだった。

目指すは新天地——。だが、大西洋の荒海をのりこえ新天地まで行きつくのは容易なことではなかった。途中で病にかかり亡くなるケースも少なくなかった。たとえ目的地に到着したとしても、そこには先住民が「外敵から領土を守るため」に武器を持って待ち構えているかもしれない。一歩間違えば争いごとになり命の保証はない。にもかかわらず困苦に挑もうとするのは、彼らがユートピアを描いていたからであった。イギリス国教会から弾圧を受けたこの人びとが、現在の強大なアメリカの礎をつくったと言われている。

では、新天地アメリカに銃を持ち込んだのも、このメイフラワー号の乗客だったのだろうか。

メイフラワー号

残された史料を探しても、武器に関しての具体的な記録を見つけることはできない。当然と言えば当然で、武器の記録を残すなどいかにも侵略、略奪、強奪目的に結びつく。そんな記録を残すわけがない。

とはいえ、新天地に上陸しようとする集団である。先住民への手土産と同時に武器も持参したのは当然だろう。

銃はすでに中世から戦争で用いられており、一七世紀前半にはかなり普及していた。彼らが持ち込んだのは、時代から判断すると恐らくフリントロック銃であっただろうか。当時ドイツによって革新的に改良され、イタリア、イギリスなどヨーロッパで広く流行した。回転するローラー状のやすりに火打石をスプリングで押しつけて発火させる構造だ。あるいは馬にまたがる兵士用のカービン銃（騎兵銃）や、片手で保持できるピストルもあったであろう。これらの銃を携え、新大陸を目指す人びとはメイフラワー号に乗り込んだのであろう。

ピルグリム・ファーザーズ

彼らは銃とともにメイフラワー号に乗り込み二か月後、プリマス（後のマサチューセッツ州）に到着した。新大陸に到着した安堵感と同時に不安もあったはずだ。大挙して先住民に襲われたら、という恐れである。人数では圧倒的に不利。たとえ「銃」という武器を持っていたとしても対処できるだろうか、危機感はあったに違いない。

先住民の方はさらに数段恐怖を感じたはずだ。海上遥か彼方に見える船がゆっくりと大陸に近づきつつある光景に、当初の好奇心から次第に不安を覚え、恐怖に変わっていったと推察できる。眼前に現れたメイフラワー号の姿に、先住民たちは「外敵がやってくる。領土が奪われる」と思ったに違いない。

さて、プリマスに到着した彼らは結果的に銃を使うこともなく、なんとか先住民との交渉を成し得た。なぜ紛争が起きなかったかと言えば、清教徒の人たちの中に病人が数人いたからだ。顔は蒼ざめ見るからに苦しそうな様に、先住民はすぐさま対応した。先祖伝来伝わる薬草の類を病人に与えたり、食料を与えたり、かいがいしく救いの手を差し伸べたのである。

一方、彼らも感謝の証にとかねてから用意していたタバコやお酒等の嗜好品を与え、先住民たちの警戒を解いた。次第に心の距離は縮まっていき、友好の輪が拡大していった。中には先住民の娘と結ばれた人もいたという。

メイフラワー号の乗員のうち、先住民の助けを受けるなどして生き残ったのは結局、約半数であった。そして彼らは「法に服従する」と誓った、いわゆるメイフラワー誓約を作って署名した。署名したのは、生き残った四一名だった。のちに彼らは「ピルグリム・ファーザーズ」と呼ばれた。そしてこの文書がアメリカ合衆国の原点となったのである。

先住民虐殺と銃の歴史

ところが――。その後、ピルグリム・ファーザーズに合流する人たちが増えていく。なぜならメイフラワー号に乗って第二、第三と入植者が増えていったのだ。

人が増えれば土地を広げていくのは自然の成り行きである。当初は彼らも、この広大な新大陸の一部を開墾し、小さな理想郷を作るぐらいしか思っていなかっただろう。たとえば、今でもアメリカに存在するアーミッシュのようなコミュニティを想定していたかもしれない。アーミッシュとは文明社会に抗って自動車を使わず馬車を使用し、またファッションすら一八世紀のクラシカルな衣装を身にまとう、現代からかけ離れたユニークな共同体である。

ところが、人間の欲望というものは空恐ろしいものだ。入植者による土地の拡大はとどまることがなかったのである。これは他人の土地に土足でずかずかと入っていくようなもの。いくら人のいい先住民も、黙っているわけにはいかない。抵抗するのも当然だ。結果、ピルグリム・ファーザーズたちと先住民の間で紛争が勃発。やがて熾烈な戦闘に発展したのだった。

以後、戦いは長く続いたが、所詮、武器が違った。先住民が用いる剣や槍、弓矢の類と銃では、勝負は明らかであった。こうして先住民、つまりインディアンは銃によって殺されていったのである。その数は膨大で、一〇〇年以上にわたって殺された数は、正確な数字は定かではないものの一説には一千万人ともいわれている。

先住民の虐殺が多く行われたコロラド州では、インディアンを踏み台にした悲惨な物語が残っている。それが「サンドクリークの虐殺」だ。一八六四年一二月八日、インディアンとアメリカ軍の激しい戦いの結果、アメリカ軍の大勝利となった。インディアンの死者五〇〇人に対し、米軍死者九人と当時の地元紙は報じている。

しかし気になるのは記事の次の内容だ。殺したインディアンの男女の性器や頭の皮を剥ぎ取り、戦利品としてアメリカ軍は帽子に飾り、街（現州都のデンバー）をパレードした、というのである。

何という残忍さであろうか。ヨーロッパではフランス革命から七〇年以上が経過し、日本では近代国家樹立の明治維新前夜のこの時代に、このような蛮行が行われていたのである。

アメリカという国は、銃をかざしながら相手を征服し、強大な国となった歴史がある。銃とともに刻んできた歴史に正統性を与えているのだ。したがって銃なくしてアメリカを語ることはできないというわけである。

彼らアメリカ人は自らを、荒涼たる土地をフロンティア・スピリットで開拓した勇気ある人間と誇示した。つまり侵略という言葉を決して口にしなかった。戦後日本でも流行した西部劇をみても、常に白人は善で、先住民つまりインディアンは悪として描かれた。多くの日本人は、インディアンは「野蛮で悪い人間」と頭に刷り込まれたのである。

アメリカと銃の歴史を象徴する四人の人物

これらを踏まえたうえでアメリカの歴史と銃の関係を俯瞰すると、私の脳裏には四人の人物が浮かぶのだった。一人の女と三人の男である。

まず女の名はサラ・ウィンチェスター。四か国語を操る教養人にして美貌の持ち主。このサラは生涯にわたりインディアンの亡霊に脅えた女性だった。彼女は世界的に有名なライフル銃メーカーの御曹司の妻であったからだ。サラの私生活は謎に満ちていた。サラが住んでいた家はカリフォルニア州の史蹟に指定され、ミステリーハウスとして現在でも国内外から多くの観光客を集めている。

そして銃に関わる男三人は、ミスター・アメリカともいうべきアメリカン・ヒーローたちだ。

一人目は第二六代大統領、セオドア・ルーズベルト。セオドアはアメリカ大統領史上もっとも偉大な人物の一人といわれ、サウスダコタ州ラシュモア山に巨大な石の胸像があることで知られている。胸像は他に初代ワシントン、三代ジェファーソン、一六代リンカーンと錚々たる人物ばかりだ。加えてセオドアは日露戦争終結の立役者として、アメリカ大統領としては初のノーベル平和賞を受賞したことでも有名。明治天皇からの感謝の親書も受けとっている。

一方で野生の動物狩りを好み、ライオン一七頭、象一一頭、ヒョウやチータそれぞれ一〇頭、ほかにカバ、キリン、野牛などを加えると五〇〇頭以上の〝獲物〟を仕留めている。こよなく銃を愛した人物であった。実は調べていくと、サラ・ウィンチェスターとの驚くべきドキュメントが見え隠れしていたのだった。

アメリカン・ヒーローの二人目は、ノーベル文学賞を受けた作家のアーネスト・ヘミングウェイだ。数々の作品は映画化されて、大衆的支持も得た作家だった。四人目の妻が「パパ（ヘミングウェイのこと）は常に銃を持っていた」といった言葉が残されているほどの銃愛好者。彼の人生の幕引きは銃による衝撃的なものであった。

三人目のアメリカン・ヒーローは、エンターテイメントの道具としての銃を世界に見せつけた西部劇の雄、俳優のジョン・ウェインである。これまでの三人が「実」の世界で銃が深く人生に影を落としているのに対し、ジョン・ウェインは「虚」の世界の中で銃を自由自在に操り、多くの人を楽しませ感動させた。ジョン・ウェインの銃が火を吹く効果は、日頃のストレスをふっ飛ばす爽快さを与えてくれたものだった。

ジョン・ウェインが亡くなった時、「彼はアメリカなんです」と答えたのは、ジョンをよく知る女優モーリン・オハラの言葉である。アメリカを体現した俳優は、銃とともに歩んできたアメリカの歴史をその生き様に重ねていたかもしれない。

以上四人を軸として彼らの人生を辿っていけば、建国から今日に至る「銃とアメリカ」の不可分な関係、ひいては昨今の乱射事件を引き起こす何かが見えてくるのではないか——。

かつて銃の恐怖を味わった私は、その背景にあるアメリカのアイデンティティと社会病理を、同時に追求してみたいと思った。

第2章　サラ・ウィンチェスター夫人の奇妙な行動

カリフォルニアのゴールドラッシュ

真っ青に晴れ渡ったカリフォルニア・サンノゼの住宅街。閑静な一角で、男たちが活発に動き回っていた。吹き出た汗を光らせながらハンマーを打ち下ろす。あるいは鋸を引く。材木を持ち運ぶ。黙々と動く彼らは、カーペンター（大工）であった。

このような光景が、一九世紀の終わりから二〇世紀にかけて実に三八年間、二四時間三六五日繰り返されていた。

一風変わった大きな建物は、やがて一応完成した。建物は人目を惹き、建築中、噂を聞きつけて遠くから馬車で乗りつけ見学する人も少なくなかった。だからだろうか、まもなく外部から建物が見られぬようにと、高さ二メートルの栢植の木を生け垣ふうに植樹したのだった。

この建物のオーナーはサラ・ウィンチェスターという女性。サラが東部コネチカット州ニューヘイブンから、この西部の街サンノゼに引っ越してきたのは一八八四年春のことだった。

サンノゼは、ゴールドラッシュのきっかけとなった金の発見場所（サクラメント）からそれほど遠く離れていなかった。金が発見されるや否や、全米各地から一攫千金を求める人びとがカリフォルニアにやってきた。いや全米ばかりか世界中から集まってきた。ゴールドラッシュだ。金の発見から一年後、一八四九年のことである。

ちなみにアメリカ最大の人気スポーツであるプロフットボールチームの名門、カリフォルニア49ｒｓ（フォーティナイナーズ）は、ゴールドラッシュ年をチーム名としている。さらにカリフォルニア州の別名は黄金州（ゴールデンステイツ）という。

アメリカの東海岸から金を求めるとすれば、約四五〇〇キロを馬車で横断しなければならない。まだ大陸横断鉄道（一八六九年完成）ができる前で、大陸は荒涼たる砂漠地帯が多かった。それだけに途中さまざまな困難が待ち受けていたはずだ。インディアンの夜襲に遭って命を落とす人も少なくなかった。インディアンのテリトリーに土足でずかずかと侵入してくるのだから、襲撃の対象にされても仕方がない。砂塵が舞い上がる荒地を乗り越え、インディアンの夜襲を潜り抜けた人たちだけが、目的地に到着できた。

命を賭してでも黄金を手に入れたい！　その一心で黄金の地を目指す人びとによって、カリフォルニアの人口は瞬く間に増加した。黄金を手に入れた人びとを狙って、今度は商売を目論む人びとも集まってきたから、人口はさらに急増した。カリフォルニアの雨の少ない温暖な気候も人気に拍車をかけて、人口は膨れ上がったのだった。ゴールドラッシュ前、一〇万に満たなかった人口はあっという間に二〇〇倍となり、さらに増加し続けた。現在は三七〇〇万人である。

ちなみにドナルド・トランプの祖父は、カリフォルニアで採掘業者用のレストランやホテルを建てて財を成したという。この財を基にドナルドの父、フレッド・トランプは不動産業を起こして大成功。さらにドナルドがこの財を引き継ぎ、大企業へと発展させて億万長者になったのである。

サラのカリフォルニア移住

サラの場合は一攫千金を求めてやってきたわけではなかった。すでにゴールドラッシュから三〇年以上も経過していたし、だいいちサラは夫の遺産を引き継ぎ、莫大な資産家でもあった。

サラのカリフォルニア移住の理由は、女霊媒師のご託宣だった。生まれてまもなく一人娘を失い、その後に夫が急逝。さらに自宅が火災に遭うという不幸が続いた。

一体なぜ不幸が続くのか――。不幸の原因を探るべく、当時人気の女霊媒師をボストンに訪ねた。すると女霊媒師は不幸の原因について、こう言ったという。

「ウィンチェスター家は呪われています。銃で殺された多くのインディアンたちの霊によって、あなた達に不幸がもたらされているのです。子供に夫、やがてあなたも呪い殺されるでしょう」

銃ビジネスで巨万の富を得たウィンチェスター家だが、その富は銃殺されたインディアンを踏み台にして築かれたもの。無念の死を遂げたインディアンの復讐が、不幸の原因だというのだ。サラは女霊媒者の弁を受け入れた。

つづけて女霊媒師は、「まず西に引っ越しなさい」ときっぱりと言った。「西へ引っ越せ」と言われても、サラにとって西のイメージはいささか不安であった。そもそもサラは東部（コネチカット州ニューヘイブン）で生まれ育っている。西は「生活レベルの低い田舎」くらいにしか思っていなかった。加えて、金を求めて各地から海千山千の者たちが集まっている。欲の深い品格のない連中がうじゃうじゃいるのではないか……。

女霊媒師はサラの不安をすばやく察知した上で、語気を強めて言い放った。

「ただし、家をずっと造り続けなければなりません。建築をストップすれば、あなたは呪い殺されます」

結局、サラは女霊媒師のご託宣に従った。この女霊媒師は「よく当たる」と評判であった。

サラが選んだ土地は、カリフォルニア州サンノゼであった。八部屋付の中古物件を購入したが、驚くのはその敷地面積である。約一六二エーカー、なんと二〇万坪だ。東京ドーム一四個分にあたる。おそらく土地は徐々に増やしていったものと思われる。

サラは金に糸目をつけず、各地から優秀なカーペンターをかき集めた。遺産は二千万ドル以上という説もある。今の貨幣価値にすれば一〇〇億円、いやそんなものではないだろう。もっと膨大な金額と思われる。

ウィンチェスター家の隆盛

サラがウィンチェスター家の御曹司、ウィリアム・ワート・ウィンチェスターと結婚したのは二二歳の時、一八六二年九月三〇日のことであった。

折しも世は南北戦争真っ最中。アメリカ合衆国の北部とアメリカ連合国の南部との戦いで、市民を含め両軍合わせて死者は九〇万人ともいわれる。このアメリカ史上最大の内戦に、北も南も武器を欲し、銃の需要は跳ね上がった。メーカーをはじめとする銃ビジネス業界は、「戦争太り」であったはずだ。

当時、銃業界のトップ企業はスペンサー・リピーティング・ライフル社であった。なにしろリンカーン大統領をして試射の際に、「スペンサー・ライフルの性能に感銘した」と記録されている。

一八五〇年代に創業し、一八六六年に社名が固まったウィンチェスターは新興メーカーであったが、その後、スペンサーにとって代わって銃ビジネスのトップ企業に躍り出る。その原動力になったのは、何と言っても西部開拓時代にその優秀性を世に知らしめたウィンチェスター・ライフルM１８７３である。「西部を征服した銃」とも称される本器は、画期的なレバーアクションを備え、連射を可能としている。

南北戦争後の一八七一年、ニューヨークで全米ライフル協会（ＮＲＡ）が設立された。これによりアメリカの銃社会は地盤を固め、銃業界はさらに活気づいた。とくにトップ企業のウィンチェスター・リピーティング・アームズはますます繁栄し、ウィンチェスター家は富を増やしていった。ウィリアムの父で創業者のオリバーは、「ライフル・キング」

と呼ばれるようになったのである。

オリバーは一八一〇年にボストンに生まれた。もともとは紳士用シャツメーカーで働いていたが、銃市場の急成長に目をつけて株式を購入、銃器メーカー（ボルカニック・アームズ社）の支配的権利を得た。一八六六年五月二二日、ウィンチェスター・リピーティング・アームズ社を設立すると、以後、レバーアクション・ライフルを世に送り出して成功した。

一方でオリバーは政治の世界にも登場している。コネチカット州知事の大統領選挙の際には共和党選挙人を務めていた。このオリバーの長男ウィリアムと結婚したのがサラであった。

不幸に見舞われ続けたサラの半生

『The American Weekly』誌（一九二八年四月一日発行）によると、サラは四か国語を駆使する高い教養の持ち主であった。将来を嘱望されたミュージシャンでもあったらしい。身長一五〇センチ足らず、体重三五キロ前後という白人にしてはかなり小柄ではあったものの、人が振り返るほどの美人だった。美人というよりもキュートであったのだろう。

サラ・ウィンチェスター自画像

サラはコネチカット州ニューヘイブンで生まれ育った。ニューヘイブンは全米屈指の名門、イエール大学があるところ。街の雰囲気はボストンと並び称され、教養の漂う文化的な街であった。

サラはウィリアムと結婚四年後に一人娘をもうけた。南北戦争終結一年後のことである。名前をアニーと名づけた。

ところが生まれて九日後の七月二四日、激しい雨と雷鳴が轟くなか、アニーは天国に旅立った。死因はマラスムスというあまり聞きなれない病であった。この病気は小児に多く、エネルギーとタンパク質の極度の欠乏によって起こるとされている。

時にサラ、二六歳であった。ようやく子供に恵まれた矢先の不幸であったから、かなりの落胆であった。その後「一〇年間も落ち込んでいた」と語っていたという。ショックのあまり心に変調をきたし、異常な行動も見られたという。それほど娘の死による悲しみは深く、心の安定を取り戻したのはサラが三〇代半ばになってからである。

ところが悲劇は続く。今度は自宅が火災に遭ったのだ。火災の規模や出火の原因は記録に残されていないが、何者かに放火された可能性も否定できない。血なまぐさい商売で富を築いた一家である。銃の犠牲者と関係の深い者の仕業か、はたまた銃によって富を築くウィンチェスター家に妬みや嫉みを持った人物か。思い当たる節はいくらでもある。

以降はしばらく順調であったものの、義父のオリバーが七〇歳で病没した。これによって夫が会社の経営を引き継ぎ、二代目ライフル・キングになるかと思いきや、病弱なためにそうなることはなかった。それどころかオリバーの死から一年後、ウィリアムは四十代の若さで急逝する。肺結核だった。サラは四十そこそこで未亡人となった。

なぜゆえにこうも不幸がふりかかってくるのか、サラは自問自答し悩んでいた。ちょうどこの頃、知人の紹介でボストンに住む女霊媒師の存在を知ったのだった。

ウィンチェスター・ミステリー・ハウス

サラ邸は現在、四階建てで部屋数は一六〇。暖炉四七、ベッドルーム一三、エレベーターは三基。窓は一万に上る。絶え間ない増改築の結果だが、サンフランシスコ大地震（一九〇六年）の前は七階建てであったという。

調度品も目を見張る。銃で稼いだ莫大な遺産にものをいわせ、世界各地から家具、建築資材を取り寄せていたという。イギリスのヴィクトリア朝の優雅さを基調にしているが、仕上がりは独特である。上階に続く階段は天井で行き止まりになっていたり、数ある窓枠はすべて「13」の倍数である。さらに部屋の天井からつり下がっている豪華なシャンデリアの装飾用キャンドルも、きっかり「13」本。家主の強固な拘りが感じられる。

アメリカ（というよりキリスト教）では、「13」は忌み嫌われる数字である。サラもそれは十分に承知していたはずだが、それ以上に「13」は、彼女にとってラッキーナンバーなのだった。ジンクスを重んじる彼女の気質が感じられる。

屋敷の増改築は一九二二年にサラが亡くなるまで続いた。その後はその奇怪な様から「幽霊屋敷」と呼ばれるようになり、特に一九五〇年代にテレビ番組で取り上げられるようになってからは、全米に知られるところとなった。

全国から観光客が訪れるようになり、屋敷の維持管理が求められるようになってきたという現実的な事情もあっただろう。歴史的価値も認められ、一九七四年にはアメリカ合衆国国家歴史登録財となった。「ウィンチェスター・ミステリー・ハウス」は、今や観光ツアーに組み込まれている。

サンノゼに住んでいた私は、当時すでに観光スポットとなっていたこの屋敷をしばしば

ウィンチェスター・ミステリー・ハウス

訪ねた。

私がサラ邸で特に注目したのは、秘密の覗き穴であった。床下の穴から階下が見える仕組みで、つまり雇人の様子を監視できるシステムとなっていた。雇人が真面目に仕事をしているかどうか、私語が多くサラの噂話をしていないかなど、密かにチェックしていたようだ。

雇人たちはサラの顔を知らなかった。というよりサラと接見できるのは筆頭秘書などごく限られた人たちだけである。それ以外は接見すら許されなかった。

サラ邸に雇われていた日本人

銃ビジネスによってもたらされた莫大な遺産で三八年間も増築を続けた館には、かつて様々な人びとが働き、寝起きをしていた。女主人のサラを中心に秘書班、執事班、召使班、食事班、カーペンター班、庭師班、清掃班、会計班などそれぞれの役割分担が決まっており、総勢五〇余人が働いていたという。

食事班は中国人が多く、チーフシェフも中国人であった。カーペンターは二二人、庭師は七人で、庭師は全員日本人だったという。この館では中国人、日本人が下働きとして重要な位置を占めていた。二〇世紀初頭のカリフォルニア地域では、日本人や中国人の移民が増加傾向にあった。こういった背景はのちに、アメリカ西海岸を中心とした中国人や日本人の排斥運動に繋がっていく。

私はサンノゼに住んでいた頃、サラ邸に雇われていた日本人の庭師を調べようと地元の新聞社を訪ねたことがあった。しかし地元紙（「サンノゼマーキュリー」紙）の編集局では、日本人庭師のことを知る人はいなかった。それどころかサラ邸の庭師が全員日本人ということも知らなかった。それでも五〇代の記者がこんなことを口にした。

「このサンノゼには有名な日本庭園があります。日本の岡山にある庭園を真似て作ったようです。ですから日本人の庭師は岡山出身者かもしれませんね」

サンノゼ市と岡山市は一九五七年より姉妹都市であり、友好の懸け橋として造られたのがサンノゼ友情庭園である。日本三名園のひとつである岡山後楽園を模した庭園だ。

『南加州日本人史』（南加州日系人商工会議所発行）によると、南カリフォルニアでは当時（一九世紀中頃）日本人の仕事といえばランドリー、コック、ウエイター、ハウスクリーニング、メイド、ガーディナー（庭師）であった。ちなみに女子の場合は、メイドやベビーシッターから〝あめゆきさん〟になった人も少なくなかった。〝あめゆきさん〟とは、〝からゆきさん〟（唐行きさん）から転じたもので、アメリカに渡って娼婦として働いた日本人女性のことである。カリフォルニア・フレズノには妓楼が十二軒あったという。

庭師は当時、日本人の仕事の代名詞であったようで、南カリフォルニア地区だけでも庭園業の組合が二二あった。

岡山県出身者はこのカリフォルニアに多くいたようだ。『南加州岡山県人発展史』（遠藤紫郎著、南加州岡山県人発展史編纂所）という書物によると、明治二十年（一八八七年）には一二二〇人の岡山県人がカリフォルニアに渡ってきたという。サラ夫人がコネチカット州ニューヘイブンからカリフォルニアに引っ越してきたのは一八八四年であり、その後家を造り始め庭師を雇い入れたのだろう。おそらく一八八五年～八九年頃か。とすれば時代的にも合致する。

出身地域は、和気郡、吉備郡、御津郡、川上郡など二一か所からカリフォルニアに来ていた。なかでも御津郡が最多の六一〇人、吉備郡一九〇人、都窪（倉敷）一二六人と続く。仕事は農園労働、庭園請負、植木業、果樹の栽培、グローサリー（八百屋）、料理人、旅館、雑貨店等で、やはり農園関係が多い。さらに調べていくと、岡山出身者の住まいはサクラメントに集中していたことがわかった。サクラメントはサラ邸からそれほど遠く離れていない。ひょっとするとサラ邸に雇われた庭師が、岡山出身者の線から明らかになるかもしれないと感じた。

同書の「庭園請負業は盛況」という記事には、個人名が掲載されている。……吉田沢次郎という御津郡今村出身の人物は当初、ハリウッドで庭園請負業をやっていた云々。弟子には中山嘉市（吉備郡出身）と小野孝平（御津郡一ノ宮出身）、蜂谷登亀治（同上）、さらに木口春蔵（吉備郡久代）らがいたともある。

この人たちの誰かが、サラ邸の庭を造園していたかもしれない——。さらに手がかりを求めて探し続けたが、サラ邸の文字を見つけることはできなかった。当然といえば当然だろう。仕事先の記録を残すのは相手側のプライバシーに踏み込むこととなるし、ましてサラ邸では邸内の様子を口外することが禁じられていたようだ。「他言無用」はサラ邸で働く時の条件の一つでもあったらしい。

結果、サラ邸の日本人庭師に繋がるヒントを見つけることはできなかったが、それだけサラは邸のことに関して厳重に雇人たちの口封じをしていたのかもしれない。

ところで、サラ邸の庭には世界一一〇か国以上から輸入された様々な植物があった。椰子、シダ、バラ、柘植、桜、梅、イチイ、クルミ、オレンジ、レモン、グレープフルーツ、オリーブ、インディアン山査子、スタージャスミン……。ハーブ、花、低木にいたるまで、まさにインターナショルな庭を日本人庭師たちが作り上げ、日々手入れをしていたのだった。

サラ、唯一の写真

日本からの影響？

さて、サンノゼ・マーキュリー紙の熟年記者はこうも言った。

「サラ夫人の唯一の写真が残っています。馬車で出かける瞬間をとらえた写真です」

庭の茂みからこっそりと新聞社専属カメラマンが撮った、というのである。

だが、サラはカメラ嫌いで、雇人たちも皆そのことは知っていた。どうやってカメラマンは邸内に入り、シャッターを切ったのだろうか。そもそもサラ邸の庭には常時警備員が見張りをしていたというし、遺産の噂を聞きつけたドロボーたちが虎視眈々とチャンスを狙っていたということから、猛犬が数頭放し飼いにされていたという。つまり鉄壁なサラ邸を突破することなどほぼ不可能に近い。

もしかしたらサラ邸に関係する何者かが手助けをしたのかもしれない。狙った獲物のためなら手段を選ばない、いわゆるパパラッチは今も昔も変わらない。謎めいた館の主サラは、彼らにとって格好の獲物だったのだろう。

サラ邸の中心を成すのは、セアンス・ルームという名の部屋である。壁一面がライトブルーに彩られており窓はない。サラ以外にこの部屋に入ることは許されず、いわば秘密の部屋だ。セアンスとは「交わり」の意味。つまり死者の霊魂と交わること、コミュニケーションをとる部屋といわれている。

サラはバラの花が好きだったことから、ローズピンクのローブを身につけて会議に臨んでいた。会議では時に貴重なリキュールを飲んでいたようだ（サラはお酒が強くなかったため、ごく稀に少量の酒を口にしていたという）。

この青い空間でトランス状態となってお化けたちとミーティングをしていた、のだろうか。日本風にいえば、イタコに近いものだったのではないか。イタコとは青森の下北半島周辺にみられる民間霊媒を指すもので、恐山のイタコが有名である。死者を呼び覚まし生者とコミュニケーションをとる、シャーマニズムに基づく巫女のような存在だ。

当時、日本からカリフォルニアへの移民は、岡山県をはじめ茨城県、静岡県、和歌山県、神奈川県、青森県などその出身地は多岐に広がっていた。日本でイタコの存在が広く知られるようになったのはマスコミが面白がって取り上げ始めた一九六〇年代以降だが、東北・南部地方の出身者は伝承的存在として身近に感じていたかもしれない。そういった人たちからサラにイタコの話が伝わったと考えるのは、憶測が過ぎるだろうか。

私が実際にウィンチェスター・ミステリー・ハウスを見学して感じたのは、日本の伝統的な様式と共通する部分があるな、ということだ。たとえば日本の武家屋敷には、敵の襲来を想定して壁が回転して次の間に続いていたり、地下に逃げ込むことができたり、いわゆるカラクリが仕込まれている。サラ邸の奇妙な造りにも、同じような発想が感じられる。サラは本気で呪いを信じていたから、幽霊からの防御という意味で複雑怪奇なカラクリを施したのかもしれない。

日本からの影響で言えば、サラ邸の床には、多く寄せ木細工が使われている。これも日本人スタッフが伝えたものかもしれない。

ミステリアスな存在

サラは莫大な財産を後ろ盾に、シャーマン的な存在感で館の増築の陣頭指揮を執った。

スピリチュアルなメッセージの預言者として国を統べた日本の古代女王、卑弥呼を彷彿とさせるが、人を動かすのにミステリアスな雰囲気を演出し、自らを神格化していたのだ。長期に渡る奇妙な工事を継続するうえで、効果的な手法だったたと思う。

サラが亡くなるまで、屋敷からハンマーの音がストップすることはなかった。しかも、むやみやたらとハンマーを打ちおろしていたわけではなく、サラの好むような音を作り出しながら増築を続けたという。このあたりからもサラの神格化された様子がうかがえる。

さらに邸からは、深夜になると鐘楼からけたたましい音が響きわたった。鐘の音はお化けを歓待する合図であったという。

日夜不気味な音を出し続けたサラ邸は、周辺住民にとって気味の悪い存在だったが、住民だけではなくサラ邸内部の雇人たちにもプレッシャーを与え続けた。雇人たちが緊張感を保ちつつ仕事に励んだであろうことを考えれば、これもサラの人心掌握術なのかもしれない。

サラは、異形かつミステリアスな女性といわれているが、一方で記憶力は抜群、かなりの神経質、読書家、執念深いといった側面を持っていた。顔はビクトリア女王によく似ていたという話も伝わっている。

また、お茶目な一面もあったようではある。時に自らお化けを演じていた、ともいわれている。真夜中に雇人の前に影のようにサッと現れて消えるゲームを実践し、雇人たちの度肝を抜いていたようだ。

サラは、お化けにはいいお化けと悪いお化けがあると判断し、区別していた。

悪いお化けとは、銃で殺されたインディアンの霊魂を指していた。白人たちに土地を追われた挙句に銃で殺害され、その恨みは深い。サラがインディアンの霊魂を恐れていたことは、庭に証拠が残されている。弓矢を持った小鹿の像を造り設置した。ウィンチェスター・ライフル銃によって容赦なく殺されたインディアンへの贖罪といわれている。

しかしなぜこの像がインディアンの霊魂を慰める罪滅ぼしといえるのか、腑に落ちない。弓矢はインディアンの象徴的な武器である。だから、「あなたたちインディアンも鹿を捕らえて食物にしていたでしょう」と言いたげな気がしてならない。この小鹿像から、サラのエクスキューズが読みとれるように私には感じられる。

一方、いいお化けとは南北戦争で殺された人たちのことだ。コネチカット州ニューヘイブンで生まれ育ったサラは北側の人間だから、北側の兵士の霊魂がいいお化けとなる。そして、いいお化けは悪いお化けを追っ払うとサラは信じていたそうだ。

サンフランシスコ地震

サラが亡くなるまで三八年間、一刻も工事を休むことはなかった、そう資料に記されている。けれど正確に言えば、ハンマーの音が止まったこともあった。それは一九〇六年四月一八日早朝の数分間である。

この日の朝五時一二分、サンフランシスコ地震が発生した。震源はサンフランシスコから北西に約六〇キロ離れたオレマ。このあたりにサンアンドレアス断層があるといわれている。地震の規模はマグニチュード7・8で、まもなく火災が発生し街は停電となった。住民は右往左往し火事は三日間続いた。

この地震により二二万五千人が家を失った。当時のサンフランシスコ市長ユージン・シュミッツは異例の命令を下した。自然災害に乗じて略奪がはびこるのは洋の東西を問わず常であるが、市長は「略奪者は即刻射殺せよ」と銃の使用を許可したのだった。この命令が功を奏し、大それた略奪はなかったという。

サンノゼ地域でも多くの家が倒壊した。街のシンボル、サンノゼ州立大学の蔦に蔽われたレンガ造りのタワーの一部が崩れ落ちた。

1906年サンフランシスコ地震で炎上する市街

サラ邸でも大工たちはハンマーを投げ捨てた。足場を失って落下、負傷する者もいた。這いつくばって逃げ出す者も。炊事室では食器棚から皿やビン類が落下して砕け散った。壁にかかっている多くの額は外れて床に落ちた。まさに邸内は阿鼻叫喚、雇人たちは右往左往の大混乱であったらしい。

地震が起きた時、サラはまだベッドの中にいた。下から突き上げられてベッドが瞬間宙に浮き、そして落下した。そのあとはまるで船に乗っているように揺れ、フロアーを前後左右に滑りながら移動した。天井から吊るされているクリスタルの豪華なシャンデリアはぶるんぶるんと揺れて、ガシャガシャと音を放った。きっかり「13」の窓ガラスはいくつか割れて外の景色がのぞく。椰子の木が鞭のようにしなっていた。

隣室にいた筆頭秘書のマーガレットや側近のメイドは、這いつくばってサラの寝ているベッドに近づこうとしたが、立つことすらできなかった。それでもマーガレットは必死にサラのベッドに辿り着くや小柄なサラを抱きとめた。腕のなかでサラはブルブル震えていた。すでに老齢（六五歳）となったサラの耳元に口を寄せ、マーガレットは「奥様、大丈夫です」と何度も口にした。

マーガレットがサラと出会ったのは、ウィリアムが急逝してまもなくのことだった。サラの家にはすでにメイドが二人いたが、喪失感で落ち込むサラに必要なのは秘書的な役割の話し相手だった。フランス系アメリカ人で色白な美しい娘、当時二十歳だったマーガレットは音楽や文学にも詳しく、サラにはうってつけの娘であったのだろう。すぐ気に入られ、以来、マーガレットは結婚もせずにいわば一生をサラに捧げることになる。

サラはマーガレットの腕の中で何かつぶやいていた。口元に耳を近づけると「続けろ」と聞こえる。弱々しい声で「ハンマーを止めるな」と聞こえた。

サラはこの地震を、銃で殺されたインディアンの呪いに違いないと言っているようにマーガレットは解釈した。すぐさまマーガレットはあらん限りの声をふり絞ってサラの言葉を側近に伝え、側近からカーペンターへ伝達された。

と、まもなくハンマーの音が邸内に響き渡った。サラとマーガレットは互いにホッとした表情を浮かべた。

地震は長く感じられたものの、実際は五分足らずであったという。サラ邸の七階タワーは傾き被害を被ったが、その他は地震に耐えた。優秀な建築技術を持ったスタッフと優れたカーペンターたちの技によるものだが、基本は材料といわれている。セコイア材を使用して骨組みを固め、大きな揺れの衝撃を吸収する柔軟性があったからだという。

絶えざる増築と増え続ける資産

地震後、サラは邸を出て一時的に避難した。避難した場所はサンノゼからそれほど遠くないところに急遽造った住まいだった。船の形をした造りで、旧約聖書に出てくるノアの箱舟を見立てたものだと言われている。サラは旧約聖書からもヒントを得ていた。サラ邸に階段が多いのも、バベルの塔を意識したものらしい。

復興が整い再び邸に戻ってきたサラにとって、大事な要素は二つだった。一つは増築の続行。もう一つは財産の管理である。

増築にあたって、カーペンターたちが好き勝手にハンマーを打ち下ろしていたわけでないことは前述した通りだ。厳格な管理のもとに行われていたのである。建築学の博士クラスを責任者に据えて、その下に副責任者、さらにチーフ、現場監督、そして直接ハンマーを打ち下ろすカーペンターたちの序列があった。

増築はプランに従って行われていたが、基準となるものはサラのスピリチュアルなメッセージに立脚していた。だから時には直前で変更する場合もあった。頑固な職人気質だろうか、文句を垂れる雇人もいたが、そういう者は即刻クビであったという。

サラ邸の世界では、サラに抗う行為は許されなかった。サラ邸に雇われる条件は、私語を慎み言われた仕事にひたすら励むこと。サラ邸のあれこれを詮索しないこと。特に女主人についての噂話は御法度。これらが契約の条件だった。サラ邸で働く場合の面談は、筆頭秘書のマーガレットと各担当責任者があたった。

薄気味悪い印象のサラ邸ではあったものの、報酬がよかったことから多くの人が押しかけたという。そして厳選された者だけがサラ邸で働くことを許された。まじめで寡黙。忠実なる下僕的精神の持ち主。約束事はきっちり守り抜く。多弁でお調子者は避けられたのである。

こうして見ると、日本人がサラ邸で多く働いていた理由が何となくわかる気がする。庭師七人は全員日本人。ほかに食事係や召使、さらに鐘楼の鐘を叩く時刻担当も日本人であった。時の正確さを期すため、いちいち天文台に連絡して時間を確認していたという。

サラにとっての大事な要素のもう一つ、財産の管理は一体どうなっていたのか。

当時、サラについてマスコミは皮肉たっぷりにこう断じていた。

「夫の死後、未亡人となったサラの人生は、莫大な遺産を使うことであった（傍点筆者）。

しかし湯水の如く使ったとしても使い切るのは困難であろう」

繰り返しになるが、サラが引き継いだ遺産は当時の二千万ドルともいわれ、数百億円に相当する。財産の管理は、法律のオーソリティである長老のジャンセン氏が担当した。

サラには莫大な遺産のほかに、株の配当金で一日千ドルの収入があった。株は会社（ウィンチェスター・リピーティング・アームズ）のもので、サラは七七七株持っていた。株数が少ないのは身内しか株を持てないシステムであったからだ。まもなく義母が亡くなりサラの持ち株は二七七七株と増え、配当金だけで年間四万三三三五ドルがあった。それが一八九七年のこと。サラの生活はいっそう潤沢となった。時にサラ五七歳だった。

招かれざる訪問者

当然のことながらこの〝宮殿〟に群がる輩は少なくなかった。ドロボーに限らずイトコ、ハトコ、姪、甥等親類縁者を騙り、あの手この手で〝宮殿〟に近づく。しかしサラはことごとくかれらを拒否した。拒否というより無視、相手にしなかったのである。

とはいうものの、例外的に対応の違った人物もいた。

まずはサラの健康を気遣った甥である。当時サラは膝痛に悩んだり、時々不眠症に陥っていたらしく、甥は人づてにこの情報をキャッチ。サラ宛に手紙を投函後、ニューヘイブンからサンノゼのサラ邸に向かったのである。大陸横断鉄道を使っての長旅であった。「叔母さんの体が心配」という甥は、純粋にサラの体を心配していたのかもしれない。だが、訪問当日、サラはこの甥に会うことはなかった。けれども手ぶらで帰したわけではなく、秘書を介して銀のお盆に小切手を載せ甥に差し出したという。この時の小切手がいくらであったのか記録は残されていないが、旅費にいくらか色をつけたくらいだろうか。大きなお金を渡せば再び無心する可能性もある。

サラ邸を訪ねて来た人物として、特筆すべき存在がいる。第二六代アメリカ大統領のセオドア・ルーズベルト。歴代大統領の中でも尊敬され、アメリカ史に燦然とその名を刻む偉大なる人物である。

一九〇三年春のこと。現役大統領のセオドアが、大勢のシークレットサービスを従えてやってきた。なにしろ前大統領（ウィリアム・マッキンリー）が銃によって暗殺され、警護が一段と強化されていた頃である。サラ邸前はものものしい雰囲気に包まれた。

がっしりとした重厚にして厳重な門のベルを押すと、使用人が門を開ける。さらに二重にロックされた玄関で待つこと数分。扉が開き執事が現れた。訪問の意図を告げると、執事はすぐさま「御主人さまは今家におりません」。きっぱりと言った。なんと現職大統領の来訪を断ったのだ。

実はこの時、サラは家にいた。居留守を使ったのである。セオドアの訪問は突然のものではなく、事前にサンノゼ商工会議所を通じてアポもとってあった。とはいえサラ邸から了解の返事はなかったので、一方的通告という形にはなっていた。

大統領がサラ邸を訪ねた理由は後述するとして、なぜサラは時の大統領と会うのを断ったのだろうか。

少なくともサラは、セオドアを忌み嫌っていた。

セオドア・ルーズベルトは副大統領時代、先代のウィリアム・マッキンリーが銃撃により暗殺されて、トコロテン式に大統領になった。このため暗殺事件でもっとも得をした人物として、あらぬ噂が立ち上った。真の黒幕ではないか、と。

またセオドアは、愛銃家として知られていた（第3章にて詳述）。しかもウィンチェスター・ライフル銃の愛好者であった。

娘の死、夫の死は間違いなく銃で殺されたインディアンたちの霊魂の復讐である、というボストンの女霊媒師のご託宣を深く受け入れ納得したサラだ。銃の製造・販売で財を成し、豊かな生活を営む。銃殺された男、女、幼い子供たちは怨んでも怨みきれるものではない。そういった銃殺された人の霊魂が日夜サラを悩まし、彼女は憑かれたように屋敷の増築を続けた。そんな彼女が、血なまぐさいエピソードをもつ銃愛好家の大統領を忌み嫌うのは、当然のことだろう。

さて、サラに訪問を拒絶されたセオドア・ルーズベルト大統領は、何のためにやってきたのだろうか。

今回の旅程はサラ邸訪問が第一の目的ではなく、北カリフォルニアのキャンベルでの植樹祭に立ち合うためであった。この植樹祭の後、ついでにサラ邸訪問をスケジュールに組み入れたという。しかしこれは、拒絶の屈辱を味わった大統領サイドが、後付けで説明した可能性が高い。

訪問の理由は、独特の美学で作り上げた宮殿を見学したいというものであった。けれどこれも表向きの理由であり、実際はそうではなかった。

サラは当時、奇怪な屋敷とともに、霊的な交信のできる、いわばスーパーパワーをもったスピリチュアリストとして一部の人たちに知られていた。そのパワーを聞きつけた財界や政治家ら各界のトップクラスがサラ邸を訪れていた。けれどもサラは彼らと会うことはなかった。権力者への協力はお好みでなかったようだ。

現代でもよく聞くのは、権力者や有名人が霊媒師に傾倒しているといった類の話である。重要な位置にいる人物ほど、仕事のプレッシャーは大きく、敵も多いのが常だから、超常的なアドバイスに縋るようになるのも理解できる。

セオドアはインディアンについてかなり強気な政治姿勢の持ち主で、絶滅政策を支持していた。大統領就任時の祝賀パレードでアパッチ族の酋長ジェロニモを見せ物として参加させたのは、有名な話である。米軍による「サンドクリークの虐殺」についても、セオドアは「まさしく正当で有益」と述べている。

この強気の姿勢の裏で、セオドア個人がインディアンの亡霊を恐れていたとは考えられないだろうか。銃で財を成したサラがインディアンの呪いを恐れていたのと同じ悩みを、現職大統領は抱えていたのかもしれない。

また両人は、似たような境遇の持ち主でもあった。セオドアには、妻と母を同じ日に同時に失うという稀有にして悲惨な過去があった。そしてサラとセオドア・ルーズベルトは家族を失った後、長い鬱状態になっていたことも共通していた。

これらのことから、セオドアはサラと直接会って、スピリチュアリストとしてのご託宣を受けたいと願っていたのである。

サラ邸訪問を拒絶されたセオドアであったが、この様子をサラは邸のどこかでジッと観察していたに違いない。時にサラ六二歳。大統領四四歳のことであった。

暴かれた謎の屋敷

一九二二年九月五日、サラは死んだ。八二歳だった。ボストンの女霊媒師の言うことを聞き入れたおかげか、当時の平均寿命からすると、かなり長生きしたことになる。

サラの死後、謎に包まれていたサラ邸は六週間にわたって調査された。

まずヨットが見つかった。一度も使われた形跡はなかった。何のためのヨットなのか。死者の霊魂を乗せ、あの世とこの世を繋ぐためのものだろうか。

パズルのような館だけに調査にあたった何人かは迷子になったという。調査団はまずサラ邸の地図作りから始めた。家具を動かすと地下に通じる通路があった。カラクリ屋敷の如く壁の向こうに部屋があるのが見つかった。

薄暗い窓のない倉庫のような空間に、なにやら物体がたくさん折り重なっていた。無造作に投げ入れたという印象であった。物体の正体は鏡で、幾重にも折り重なり、あるいは散乱していた。昔からお化けは鏡を忌み嫌うという。お化けを恐れていたサラは邸内のあちこちに鏡を設置することで、安心・安全を得ようと思っていたのだろう。

調査員あるいは関係者にとってサラ邸でもっとも気になるものは、やはり現実的なことだった。金目のものである。なにしろ莫大な遺産を引き継いだサラである。一体どんなものがこの館に隠されているのか、必ずすごいものがあるはずだ。

サラ邸内には金庫が六つあった。コンクリートで造られた頑丈な金庫だ。次から次へと金庫は開けられたが、特段、目を惹くものはなかった。たとえば土地、建物の契約書や雇人たちとの契約書の類であった。しかし最後に残った金庫はなかなか見つからなかった。サラの姪、フランセス・マリオットはもちろんのこと、長年サラの傍にいて世話をしていた筆頭秘書のマーガレット・メリアンさえもまったく知らなかったという。

そして金庫は見つかった。誰もが固唾を呑んでその中身に注目した。金庫のカギを回す。カチッと音がする。誰も見たこともがない重い扉がゆっくりと開く……。

現れたのは布につつまれた三〇センチ四方の箱だった。紫色のベルベットに蔽われた、いかにも貴重品が収められているような箱。一体、中には何が入っているのか。

箱の中身にあったのは、布に包まれた髪の毛の束と下着だった。それは生後九日間で亡くなったわが子、アニーの髪の毛と産着であった。ほかには靴下、釣り糸等が見つかった。釣り糸は夫のウィリアムが趣味にしていた釣りを偲んだものだろうか。さらに夫の死を報じた新聞の切り抜きも残されていた。

ミステリアスかつ異形の女性といわれたサラであったが、秘密の場所には、わが子を想い続ける母親の心と、病弱であった夫を偲ぶ、ごくありふれた妻の感情が満ち溢れていた。この現場に立ち会った人たちにとっては、サラにまつわる誤解に惑わされていたことに気づく瞬間でもあった。

知られざるサラの素顔とサラ邸の遺産

サラは一九一一年、故郷のコネチカット州ニューヘイブンに結核患者用の記念館をつくった。結核で亡くなった夫の名前をつけた「ウィリアム・ワート・ウィンチェスター記念館」である。この記念館にサラは一二〇万ドルを投じたといわれている。

また、慈善事業に貢献していたことも死後にわかった。とくに児童養護のような施設に多額の寄付をしていたらしい。これも、生後まもなく亡くした我が娘を偲んでの行為であったのだろう。

私がサンノゼに住んでいた頃、というより今でもそうであろうが、この街で日本人に対する偏見や冷淡さを感じたことはほとんどなかった。むしろ好意的な印象であった。

たとえばクリスマスイブの日、私は友人とあるパーティに出席した。そこで中年夫妻と知り合いご自宅に招かれたことがあった。家の中には番傘や富士山の写真など、日本にまつわるものが装飾されていた。夫妻にもてなされたことを今でも懐かしく覚えている。

なぜサンノゼ市民は、日本人に好意的であったのか。当時は深く考えなかったが、サラの足跡を追うことで、その謎が解けた気がする。

原点は、サラ邸に雇われていた日本人の働きぶりだったのではないか。時間を守り律儀に仕事をした勤勉さが、次第にサンノゼ市民に広がっていったのではないか。

そうした積み重ねは一つの実を結んだ。米本土初の日系人市長の誕生である。ノーマン・Y・ミネタ氏は、静岡県出身の両親をもつ日系移民二世。ミネタ氏はサンノゼ市長を務めたのち、やがて商務長官や運輸長官を歴任した。日系アメリカ人として初の閣僚となった人物である。その功績をたたえ、サンノゼ国際空港は二〇〇一年、「ノーマン・Y・ミネタ・サンノゼ国際空港」と改称された。

ウィンチェスター・ミステリー・ハウスを訪れた人びとは数多くいるけれど、この館に日本人が働いていたことを知る人はほとんどいない。サンノゼに住んでいる日系人すら知らないであろう。

繰り返しになるが、日本人がサンノゼで評判がいいのは、遡ればサラ邸で下働きとして黙々と働いて汗を流した日本人たちのお陰ではないのか。

そしてそのチャンスを多くの日本人に与えたのは、ほかならぬ異形の人、サラであった。

第3章　銃を愛した大統領、セオドア・ルーズベルト

ある大物候補の登場

記録によるとこの日は晴れ、けれど気温は摂氏五度と肌寒かったという。ウィスコンシン州ミルウォーキー市。シカゴから約一五〇キロ南に位置し東側にミシガン湖が広がっているこの街には、ドイツ系移民が多く住んでおりビール工場や酒場もあちこちに居を構えていた。

一九一二年一〇月一四日。日本では明治天皇が崩御して三か月が過ぎ、元号は大正に変わっていた。午後八時前、ホテル・ジルパトリックの周辺に人だかりができていた。男たちは流行のソフト帽をかぶり厚手のコート、女たちはロングのフレアスカートをはいていた。中にはジーンズのつなぎ姿も。ビール工場で働くスタッフかもしれない。国旗の小旗

を持つ子供の姿もあった。その数、一〇〇人あまり。人気タレントの出待ち集団の如くであったらしい。

お目当ての人物がかれらの視界に入るや、歓声があがった。と同時に歩道から車道にあふれ、押し合い圧し合いの人の波が起こった。陸軍用のオーバーコートを着込み、がっしりとした体躯。いかにも威風堂々とした雰囲気を醸し出す人物は、アメリカ大統領として初めてノーベル平和賞を受けた第二六代の前アメリカ大統領、セオドア・ルーズベルトであった。時に五三歳。彼が手を振って応えると、歓声はさらに大きくなった。

握手やサインを求める人の波が一段と激しくなった。しかしセオドアにとっては、さして珍しいことではなかった。全米各地どこに行っても同様な光景であったからだ。セオドアの背後に聳えるホテルの窓々からは人の顔がのぞき、なかにはハンカチを振る人の姿も。セオドアの人気は絶大だった。

セオドアがミルウォーキーにやってきたのは、大統領選挙のキャンペーンのためであった。とはいえ応援演説ではない。大統領を退いて三年七か月、セオドアは再び大統領に立候補したのだ。

当時、大統領選挙には泡沫候補を除き三人が立候補していた。セオドアの他に共和党からは現職の二七代大統領ウィリアム・ハワード・タフト。民主党からはプリンストン大学の元総長で、ニュージャージー州知事のウッドロウ・ウィルソンである。本来セオドアは共和党から出馬するのが筋だが、共和党が分裂し、やむなく新しい党を作って立候補した。新党の名前はブルムース党。雄のヘラジカを意味する。

なぜセオドアは再び大統領に立候補したのか。現職大統領、タフトの二期目を阻止するためである。

セオドアの大統領時代に国務長官や陸軍長官を務め、いわば懐刀のタフトである。次期大統領に推薦したのもセオドアであった。そして大差で民主党候補を破り、タフトは第二七代アメリカ大統領となった。ところがタフトは権力の椅子に座ると、セオドアの意見に耳をかさなくなった。セオドアは無視されたと捉え、その結果、感情的な軋轢となっていく。

セオドア・"テディ"・ルーズベルト

権力があるうちはへつらいゴマをする「イエスマン」であったものが、権力の地位を外れるや豹変する。そんな人物は洋の東西を問わずどこにでもいるようではある。とにかくセオドアとタフトの二人の仲は親密であっただけに、いったん関係がこじれると、すこぶる険悪になってしまったという。

感情的な軋轢に加え、政治的な立ち位置も真逆であった。大統領選においてセオドアは進歩派で、女性・子供の雇用制限に賛成の立場。加えて自然保護を訴えていたし、どちらかと言えば労働組合寄りであった。一方タフトは保守派で、進歩派の意見にことごとく反対の立場をとり、考え方は実業家寄りであった。

全米各地のキャンペーンで両者は対立した。もっともタフトは冷静さを保って選挙活動をしていたのに対し、セオドアは〝熱い〟演説で現政権のタフトを挑発し批判した。演説の〝枕詞〟はいつも、「共和党は盗まれた」。タフトに盗まれたと言いたげであったのだ。かつての忠実なる部下に裏切られた気持ちから、罵りの言葉となったのだろう。

前代未聞の分裂選挙

セオドアは「忠臣蔵」の熱烈なるファンであった。忠誠心を敬して止まぬセオドアにとって、タフトの行為（セオドアを無視する態度）は許せなかったに違いない。

なぜセオドアは「忠臣蔵」を知っていたのか。

日露戦争で財政がひっ迫していた日本は、停戦の仲介を求めてアメリカに縋った。その際、当時大統領であったセオドアと交渉したのは、表舞台では外相の小村寿太郎ではあったものの、実際にセオドアと密接に連絡を取り合っていたのは金子堅太郎という人物だった。

金子とセオドアは同じハーバード大学の卒業生という縁があり、セオドアは金子を通じて日本の知識をたっぷりと吸収していた。もっともセオドアが日本びいきといわれる所以はもう少し前にきっかけがあり、日本美術研究家のアーネスト・フェノロサから直に話を聞いたことであったという。セオドアは日本びいきが高じ、日本人から柔道を習い武士道の心に惹かれていったのである。

この一九一二年のアメリカ大統領選挙は、歴史上例を見ない異例かつ激しい争いとなった。何が異例かといえば、二大政党のひとつ共和党の分裂である。保守派のタフトと進歩派のセオドアがいがみ合い、候補を一本化できなかったことだ。

共和党はそれまで、一六代リンカーン以来二七代タフトまで九人の大統領を輩出してきた。その間、民主党はわずか三人。つまり二大政党といっても、この時代は圧倒的に共和党優勢であった。ちなみにこの選挙では、共和党、民主党、ブルムース党、アメリカ社会主義党、禁酒党、そして社会主義労働党が候補を立てていた。

セオドアのブルムース党が勝てば、二大政党以外の新党であり歴史的快挙となる。ブルムースという名前の由来は、「私は雄のヘラジカのように強い」とセオドアが発言したからだ、という。ヘラジカは別名オオジカ。シカ科で最大の大きさを誇り、なかには体重八〇〇キロを超し、角は二メートル級のものもいるらしい。北方地方に生息しておりメイン州では州のシンボルとなっている。また大リーグのシアトルマリナーズのマスコットも「マリナー・ムース」である。ヘラジカは強さの象徴なのである。

「強い男」を強調してきたセオドアは、ヘラジカに己自身を重ね、勢いヘラジカの角を振りかざして大統領戦に殴り込みをかけたというわけであった。

ご存知の通りアメリカ大統領選挙は約一年をかけて戦う、四年に一度の大イベントだ。ざっと日程をいえば、一月から六月までは各党からの候補者選び。八月、九月には候補者決定。後半戦は九月から一一月までライバル政党の候補者と一騎打ち、という段取りである。

セオドアがミルウォーキーにやってきた一〇月一四日は、まさに選挙戦最後の追い込み時期であった。

銃撃事件発生

セオドアは遊説前には、あらかじめ演説文を準備するのが常であった。鵞鳥の羽ペンを使って演説文を作成し、何度も推敲を重ねる。そしてそれを暗記し聴衆に訴えかける。演説文は今風にいえばA4判ぐらいの用紙にびっしりと書き込む。びっしりというのは演説後に加筆や削除の跡がそのまま残っているからだ。

ミルウォーキーにやってきたこの日も、およそ五〇枚の演説文を二つ折りにして懐中に忍ばせていた。ホテル・ジルパトリックの前から四ブロック離れているビル内にある講堂が演説会場だった。会場へ向かうために用意された黒の大型バンに歩を進めた。時刻は午後八時少し前のこと。

と、一人の中年男がいきなりセオドアに駆け寄った。二人の距離は一メートルにまで縮まる。熱狂的なファンかと思いきや、やおら持っていた拳銃のトリガーをひいた。パーンと乾いた音が響く。と同時にセオドアは後ろによろめいた。そばにいたスタッフがセオドアを抱え込むが、力なく崩れ落ちた。

コトの重大さを察知した秘書の一人が中年男に突進して拳銃を奪い、さらに首根っ子を抑えて地面にねじ伏せた。秘書は元アメリカン・フットボールの選手で身長一九〇センチ、体重一〇〇キロの巨漢、アルベルト・マーチンだった。小太りの中年男は抵抗せずになすがままであった。

するとどうだろう。聴衆から荒々しい言葉が飛び交ったのである。「犯人をすぐ殺せ！」「そうだ殺せ、殺せ！」。さらに「リンチにしろ！」と怒声が響く。今にも聴衆から犯人目がけて一斉に石が飛んでくるのでは、という勢いであった。

一方、セオドアはスタッフに抱えられて車の中へ。右胸に強い衝撃を受けたことはわかったが、それほど痛みを感じなかったという。セオドアの意識はしっかりとしていた。というより「私はＯＫだ。演説会に行かねば」と繰り返した。「それより救急病院へ。演説している場合ではありません」とブルムース党党首ヘンリー・コッヘムやいとこのフィリップ・ルーズベルトが言っても、頑強に否定するのだった。

車の中で専属医師がすぐさま応急処置にとりかかった。セオドアの陸軍用の厚手のオーバーコートをおもむろに開ける。すると、「あっ、ここに穴が開いている」とフィリップが叫ぶ。セオドアは自らのコートの右胸に視線を落とすと、「この穴から弾丸が入ったのか」と言いながら「でも私は大丈夫」と言って、車を演説会場に走らせるよう命じた。しかし専属の医師が「まずは診察です！」と強い口調で諭すと、セオドアは小さく頷いた。

厚手のコートの前をはだけ、さらに上着の前を外すとシャツが見えた。するとベージュのシャツには血が滲んでいる程度。銃弾を受ければ血まみれのはずだが、これは一体どういうことか……。

専属医師が入念にチェックすると、着弾箇所は右の乳首あたりだった。けれども犯人が発射した弾丸は、セオドアが懐中に忍ばせていた二つ折りにした五〇余枚の演説文と金属製の眼鏡ケースによって拒まれていた。セオドアを護った演説文は砕け散り、眼鏡ケースもいびつにへこんでいた。

「奇跡だっ！」

専属医師は声をあげた。患部には若干の出血が見られたものの、大した怪我ではなさそうだった。もっとも弾丸の行方はよくわからなかった。弾き飛ばされてどこかに砕け散ったのか、それとも体内に潜り込んでいるのか。

セオドアは「病院に行ってしっかりと診察しましょう」という専属医師の言葉やフィリップの制止を振り切ると、「私は大丈夫だ」と言うなり、ゆっくり起き上がった。そして「病院は演説後だ」と言いながら、車の外に出た。

空前絶後、狙撃直後の演説

現場は騒然となっていた。

「テディは死んじゃうの」とか「早く病院に連れていけ」とか「誰か医者はいないのか」といった喚き声が渦巻き、なかには泣きじゃくる女の声も聞かれたという。

だが、車から現れたセオドアの姿を見て、誰もが己の目を疑った。ざわめきは一瞬、静寂に変わった。それはそうだろう。至近距離で狙撃されたにもかかわらず、ゾンビや幽霊でもあるまいし、むっくりと現れるなんて信じがたい光景だ。

しかしセオドアが右手をあげて「私は大丈夫だ」と言うと、静寂は一気に歓声と拍手に包まれた。

「みなさん、今、わたしの体の中に一発の弾丸が入っています」

と言うと、うおおという唸り声が巻き起こり「不死鳥だ！」という声が飛んだ。

「みなさん、心配はご無用、私はＯＫだ」と言って再び車の中へ。セオドアを乗せた黒の大型バンは演説会場へ向かった。「がんばって」という声と拍手は鳴りやまない。

演説会場のあるビル前には、ニュースを知って駆けつけた大勢のやじ馬が集まり騒然としていた。会場となる講堂は満席だった。

予定より約四〇分遅れでセオドアが壇上に立つと、割れんばかりの歓声が沸き起こった。話の内容の詳細は記録に残されていないが、恐らく狙撃事件のことやタフトの批判、さらに今後のアメリカの展望について語ったのであろう。彼のイメージ通り、〝強いアメリカ〟を強調したと思われる。

演説の時間は正味で五五分間。狙撃直後にこれほど長く演説した政治家は、古今東西見渡せど皆無だろう。まさに空前絶後といっていい。

午後九時二五分に演説が終了すると、セオドアは近くの病院に直行した。すでに四人の名医が集結し待機していた。ジョン・B・マーフィ、アーサー・ビーバン、A・R・オスナー、L・L・マッカーサーである。

診察の間、なんとセオドアは大統領選挙の行方についてひとくさり語っていたという。しかもセオドアは、医師らの制止も聞かずに病院内を行ったり来たりと歩いてみせて、「私は元気だ」と胸を張っていたというのである。体内に銃弾が入っているかもしれないのに強がりの態度を見せるセオドアに、医師らは苦笑どころか呆れ果てたことだろう。もっとも、傷は軽いという証でもあったのだろうが、一方で人の忠告も聞かぬセオドアの一端を示すエピソードではある。

検査が終了したのは午後一一時二五分のことだった。医師の診断によると、弾丸は急所を外れて体内のどこかに存在するかもしれないが、レントゲンでは特定されなかった。結論は概ね軽傷とのことであった。

大統領選の顛末

その夜セオドアは、一二時五〇分発の特別列車に乗り込んだ。次のキャンペーンの地、シカゴへ向かったのだった。

その途上、セオドアをはじめ陣営では、暗殺未遂事件が大統領選挙にいかなる影響をおよぼすのか、つまり吉と出るのか凶と出るのかが議論された。

吉の場合とは狙撃を受けながらも演説を続けた〝勇気〟あるいは〝男気〟への評価に加え、若干の同情票もプラスされ票を伸ばすという見方である。一方、凶の場合は、いくらセオドアが自ら「大丈夫」と宣言したとしても、銃弾の入っている体ゆえいついかなる時に容体が急変するかもしれず不安だ。体に不安を抱えている人間に国のリーダーは任せられないという考え方である。果たしてどっちに転ぶか――。

翌日の「ニューヨークタイムズ」紙（一九一二年一〇月一五日付）はセオドアの暗殺未

遂事件を一面トップで報じた。セオドアのバストアップの写真が中央正面にデンと居座り、以下のような見出しをつけた。

～ルーズベルト前大統領、狙撃される！～
右胸に弾丸　致命傷にならずと医師
犯人は逮捕、狂信的な男
狙撃後に一時間演説　その後病院へ

ところで、セオドアを狙撃した犯人は秘書のマーチンによって取り押さえられ、駆けつけた警察に引き渡された。

犯人はジョン・シュラトという名前の酒場のオーナーであった。警察の調べに「夢のなかでマッキンリー大統領の幽霊が出て来て『暗殺の黒幕は副大統領だ』と告げられた」と述べた。マッキンリー大統領の当時の副大統領がセオドアで、マッキンリー暗殺と同時に自動的に大統領となった。このため暗殺でもっとも得をした人物として、よからぬ噂（暗殺の黒幕）もあったのだ。犯人は数年前からその時（暗殺行為）を狙っていたと言い、犯行に使用されたリボルバー拳銃はブロードウェイのガンショップで手に入れたと供述した。

さて、暗殺未遂に遭遇しながらも、大統領選挙はともかく終わった。あとは開票を待つだけとなった。もう一度おさらいしておこう。立候補したのは泡沫候補を除き、事実上三人。共和党のタフト、民主党のウィルソン、それにブルムース党のセオドアであった。

開票結果は以下の通り。

ウィルソン　六二九万六二八四票（投票占有率四一・八パーセント）
セオドア　四一二万二七二一票（同二七・四パーセント）
タフト　三四八万六二四二票（同二三・二パーセント）

セオドアはトップと二〇〇万票以上の差をつけられて敗れた。とはいえ出馬した目的、タフトの二期目を阻止することはできた。

気になる暗殺未遂現場となったミルウォーキーのあるウィスコンシン州では、どうであったのか。

ウィルソン　一六万四二三〇票
タフト　一三万五九六票

セオドア　　六万二四四八票

なんとセオドアは、惨敗だったのだ。

セオドアとカリフォルニア

一体、なぜであったのか――。

暗殺未遂を乗り越えて演説を続行した〝強い男〟セオドアは、州民から無視されたのか。ひょっとしたら事件が票を減らす結果となったかもしれぬ。「私の体に弾丸が入っている」と聴衆にアピールし、ヘラジカの如く〝強い男〟を演じたセオドアのいかにも芝居染みたパフォーマンスが鼻持ちならなかったのか。

冷静に見れば今回のセオドアの立候補は、「国のため」というより、タフトを倒すための私怨に走った出馬であった。このあたりをアメリカ市民に見透かされていたからであろう。

もっともカリフォルニア州では大勝利だった。カリフォルニア州の選挙人は全部で一三名だが、そのうちセオドアは一一名を獲得した。ウィルソンは二名。タフトはゼロだった。

アメリカの大統領選挙は、まず国民が選挙人を選び、次に選挙人が大統領を選ぶ間接投票である。選挙人の数は州の人口に比例している。なお現在では全米で五三八人の選挙人がおり、カリフォルニア州は五五人と全米でトップの数だ。

東部出身のセオドアが、なぜゆえに西部のカリフォルニアで人気であったのか。理由はいろいろある。一番大きいのはカリフォルニア州知事がセオドアに全面的に協力したからだ。というよりセオドアと組んでブルムース党を結成したのが、ハイラム・ウォレン・ジョンソン州知事である。サクラメント出身でカリフォルニア大学バークレー校卒業の、バリバリのカリフォルニアンであった。ハイラムは若き頃よりセオドアに心酔しており、政治家を目指したのもセオドアの影響が大であったという。

一方、セオドアもカリフォルニアは将来、巨大な州になると見込んでいた。ゴールドラッシュ以来、人口が急速に増加。気候の良さもあって全米各地から人が集まってきていた。加州の将来性を見込んだセオドアは、何らかの形で人脈を構築すべく度々現地を訪れていたのだ。

そしてセオドアは猟が趣味である。猟には銃が不可欠である。ウィンチェスター・ライフルの愛用者であった彼が大統領時代、ウィンチェスター家の未亡人、サラ邸を訪ねていたことを思い出してほしい。カリフォルニアとの縁は、何かと深かったのである。

病弱な少年がボクシングに目覚める

セオドア・〝テディ〟・ルーズベルトは、一八五八年一〇月二七日、ニューヨーク市東二〇番街二八番地で生まれた。当時のアメリカ大統領は一五代のジェイムス・ブキャナンで、暗殺されたリンカーンの前の大統領である。ちなみに日本でいえば江戸末期の安政五年で黒船来航から五年後のこと。この年に日米修好通商条約を結んでいる。

父シニア・ルーズベルトはユダヤ系オランダ人を祖とし、輸入ビジネス等で財を築いた。このため家はかなり裕福であった。一方、母マーサは人が振り向くほどの美貌の持ち主で、「風と共に去りぬ」のヒロイン、スカーレット・オハラのモデルと言われている。

この二人の間に生まれたセオドアは四人兄弟の長男で、幼い頃から喘息で体が弱く小学校にも通えなかった。このため家庭教師から学んでいたという。幼児期について後年、セオドアは次のように回想している。

「私は病弱でかなり臆病な子供だった。喘息のために学校に行くことができなかった。神経質で自意識が強かった」

外で遊ぶことはほとんどなく、ベッドの上で本ばかりを読んでいた。本は動物や昆虫関係が多かった。なにしろ九歳で「昆虫の博物学」という作文を書くなど早熟で、将来は動物学者を夢見ていたという。そんなセオドアを見て父は心配し、運動を勧めたのだった。

セオドアが選んだのはボクシングであった。かつてボクシングはアメリカ人を熱狂させたスポーツで、今と違って相手が倒れるまで試合を続行。まさにやるかやられるかの究極のスポーツだった。その後、ボクシングは組織化され、初代ヘビー級チャンピオン、ジョン・サリバンの誕生となった。セオドアはそんな「やるかやられるか」のボクシングに魅せられた。父はセオドアのために家の一室にサンドバッグを設置した。セオドアはひたすらパンチを撃ち込み汗を流したのだった。

ボクシングの世界は勝者がリング上で喜びを爆発させ、観衆は賛辞の拍手をおくる。一方、敗者はマットに沈み観衆からソッポを向かれる。明と暗のはっきりとした世界である。これはセオドアが幼少期に関心のあった昆虫の世界と相通ずるものがある。強いものだけが生き残り、英雄となり得る。敗者は殺されてこの世から消える。

やはり、この世に生を受けたものは強くならなくてはいけない――。セオドアの〝強さ〟や〝男らしさ〟への指向性は、こういった背景を通じてかたちづくられていったのかもしれない。

セオドアは名門ハーバード大学に入学後もボクシングを続けた。いく度か試合も経験している。ボクシングの階級は体重別で、現在は「ジュニア」とか「スーパー」とかが加わり数は多い。しかし当時は八クラスであった。下から順に記すと、フライ級、バンタム級、フェザー級、ライト級、ウエルター級、ミドル級、ライトヘビー級、そしてヘビー級である。セオドアの階級はウエルター級だった。

ボクシングの戦績について公式な記録はない。けれど後年、左目の視力がほとんど失われているのは、ボクシングの試合でパンチを受けたからだろう。眼球あたりにパンチを浴びて網膜剥離となり引退するボクサーは、今日でも少なくない。セオドアが網膜剥離になったかどうかは定かでないが、彼自身、視力が落ちたのをボクシングのせいにしていた節もあったという。

要するにセオドアは、ボクシング選手として特段に目を引く記録のない、たいした選手ではなかった。つまり強い相手には勝てなかった、ということである。しかしこの世に生まれたからには勝利者にならねばならぬ。そこでセオドアが導き出した勝利の方程式とは、アメリカの歴史そのものであった。

「棍棒外交」

セオドアが少年～青年時代に魅入られた昆虫の世界とボクシングの世界。そこから彼が導き出した行動規範は、前述した銃規制の強化が実行されない要因と重なる。すなわち、「体力で劣るものが体力で勝るものに抵抗することが可能となるのは武器（銃）をもつこと」。武器をもつことによって初めて公平さが保たれる、という論理である。

セオドアは大統領時代、次のような外交政策スローガンを掲げていた。

「Speak softly, and carry a big stick」（「棍棒をもって穏やかに話す」）。転じて「大口をたたかず、必要な時だけ力を振るう」）

この方針から「棍棒外交」と呼ばれた彼のスタイルは、穏やかに交渉するものの、従わなければこれ（武器）が目に入らぬかと脅し、結局屈服させてしまうという案配だ。この勝利の方程式はブレることがなかった。だからこそセオドアを、好戦的だとか戦争好きだとかいう声も聞こえてくる。

セオドアが〝男を挙げた〟のは米西戦争であった。開戦（一八九八年四月二五日）と同時に海軍次官を辞職し義勇軍を結成。キューバ島をめぐってスペインと戦った。自ら馬

（リトル・テキサス号）にまたがって陣頭指揮を執ったという。この結果、約一か月でスペインを撤退させた。

そもそも米西戦争のきっかけは、ハバナ湾で起きた米戦艦メイン号の爆破沈没事故（一八九八年二月一五日）である。この事故により二六六人の米兵が亡くなった。マスコミは事故の原因をスペイン軍の仕業と書き立てた（事故原因は今日まで判然としていない）。連日スペイン軍の暴挙を書き立てたため、アメリカ社会は開戦ムードに傾く。

時の大統領マッキンリーは、開戦に反対の立場だった。これに対し当時のセオドアの言葉が残されている。

「いかなる戦争も歓迎しなければならない。なぜなら国がそれを必要としていると思うから」

そして開戦。アメリカは戦争に勝った。セオドアは一躍、国の英雄となった。海軍次官からニューヨーク州知事選に立候補して、当選。その二年後にマッキンリー大統領に請われて副大統領に抜擢された。国民的人気のセオドアを抱き込み、政権基盤を築くためであったのだろう。

だが、時が経つにつれて二人の考え方にズレが生じた。というよりズレははじめからあって、単に上辺の皮が剥がれたに過ぎない。このズレはどんどん拡大し、政府内は大統領派、副大統領派に分かれていく。このような状況下でマッキンリーは暗殺された。そしてセオドアは第二六代大統領となり、二期務めて第一線を退いたのである。

ところが、前述のようにタフトとの確執から再び大統領選挙に出馬した。現在では大統領の任期は、一九五一年に成立したアメリカ合衆国憲法修正第二二条第一節により二期八年と決まっている。それ以前は八年の上限はなく、セオドアの従兄のフランクリン・ルーズベルトが一二年とアメリカ大統領史上最長の長期政権を務めた。大戦時の有事であったからだという。

二月一四日の悲劇

セオドアの生涯を俯瞰してみると、どうしても触れなくてはならない出来事がある。この出来事こそセオドアを駆り立てたエネルギーの元になったのではないか、と思われて仕方がない。

それは、降ってわいた悲劇である。

病弱の幼少期を出発点としたセオドアは、その後ボクシングで体を鍛え、名門ハーバード大学に入学した。卒業直後はロースクールに入ったものの、まもなく退学して下院議員に立候補、最年少で当選した。二三歳の時である。その翌年、イギリスとの海戦をテーマに書いた歴史書を刊行。これが高い評価を得た。まさに若き才能にあふれた期待の星であった。

加えて若い頃のセオドアは美男子で鳴らした。中年以降のセオドアはでっぷりとした風貌でいかにもエネルギッシュな男というイメージが強く、とてもハンサムとは言い難いけれども、若い頃は違った。なにしろ「風と共に去りぬ」のヒロイン、スカーレット・オハラのモデルが母（マーサ）とあっては、そのＤＮＡを受け継いだ青年が美男なのもうなずける。

当然、女性たちはセオドアをマークしたに違いないが、彼を射止めたのはアリス・ハザウェイ・リーという女性であった。セオドアより三つ年下で、大学時代の友人の従妹にあたるといわれている。二人は二年越しの交際の後、一八八〇年一〇月二七日、ハーバード大学を卒業直後に結婚した。セオドアの誕生日のことで、セオドア二二歳、アリス一九歳であった。

その四年後、二人は娘をもうけた。二月一二日のことである。ニューヨークのルーズベルト家は喜びに包まれていたかといえばそうではなかった。なぜならセオドアの愛する母マーサが数日前から体調を崩し、専属医師の治療にもかかわらずどんどん容態が悪化していたからだ。

この年（一八八四年）、ニューヨークでは例年に比べて一段と寒さが厳しく、ナイアガラの滝が数年ぶりに凍りつく現象をみせた。そんな中、アリスは難産の末になんとか出産にこぎつけたが、産後の肥立ちが芳しくない。腎臓病の症状が出てきたのである。

南部ジョージア州生まれのマーサも相変わらず高熱にうなされていた。顔に赤い発疹が浮き出て腸チフスの症状がみられた。病には波があり、熱が上がったり下がったりする。熱が四十度を少しでも超すと呼吸は荒くなり苦しみだす。頭の周囲に氷袋をあてて冷やすが、すぐ温もってしまう。峠を越すとマーサは眠りにおちた。その繰り返しであった。

一七三六年に設立されたニューヨークで一番大きな病院の一室で、セオドアは母マーサの枕元にいた。妻アリスの病状も気になっていたが、向こうの両親に任せ重篤な母側についていたのである。母は数日間食べるものも食べず体はげっそりと痩せ衰えていた。若い頃の人も振り向く美人の面影はなかった。

母に何としてもわが娘を抱かせてあげたい、それまで生きていて欲しい――セオドアは強く願った。けれどもやがて母の手から次第に体温が抜けていくのがわかる。意識が混濁し、孫が生まれて二日後の二月一四日午前三時ごろ、母マーサは亡くなった。五〇歳であった。

一方、妻アリスの容態も悪化の一途をたどった。マーサが亡くなって一一時間後の午後二時ごろ、セオドアと娘を残して旅立った。享年二三。出産から二日後のことだった。

医師の診断によればマーサの死因は腸チフス。一方アリスは妊娠による腎臓病だった。

この「二月一四日」という日は、セオドアにとって生涯忘れることのできぬ忌まわしい一日となった。なぜゆえに同じ日に愛する母と妻を失うのか。なぜゆえに神は自分にこれほど厳しい試練を課したのか。自問自答を繰り返すものの理由は見つからず、ただただ深い悲しみに包まれるのだった。妹アナの励ましがあったとはいえ、食欲はなくセオドアの頰は削げ落ち、めっきり口数も減った。軽い鬱状態だったのかもしれない。

この時の心境を、セオドアは日記にこう書き残している。

「私の人生から光を失った」

まさに真っ暗な奈落の底に突然落とされた心境ではなかったか。

それでも暗いトンネルの中から一条の光を探し求めた。妻と母を失ったこのニューヨークからとりあえず離れよう。ニューヨークにいればいやが上にも母マーサ、妻アリスを思い出してしまう。悲しみを忘れるためには都会を離れ田舎に引っ越すことだ、そうセオドアは考えた。

都落ちである。娘に妻と同じ名前のアリスと名づけると妹に預け、一人ニューヨークを後にした。妻と母を亡くして半年後のことであった。下院議員を続ける自信もなく「一身上の都合により」辞した。

牧場経営と新しい出会い

セオドアが選んだ場所はノースダコタだった。これまでのニューヨークの都会に比べて家らしい家は見当たらず、あたり一面広大な土地が広がっていた。当時は「バッドランド」といわれた荒地であった。もっとも野生動物にとっては楽園である。セオドアはこの地域に牧場を開いた。土地や牛の購入代は資産家の親がまかなってくれた。

失意のセオドアを励ますため、大学時代や下院議員の知人たちが牧場を訪れた。そして「あなたは表舞台に居るべき人物」と励まし、「田舎に引きこもるのはアメリカ国の損失」と大仰に言う人までいた。

セオドアは牧場では牛を追ういわばカウボーイのような生活を送ったり、ジャガイモや野菜を育てたりしていた、といわれている。

するとどうだろう。これまで軽い鬱状態にあったセオドアが、みるみるうちに元気をとり戻したというのである。しかしなんといってもセオドアを勇気づけるのは、新しい出会いであった。セオドアの周囲が気に掛けたのは、新しい妻を探すことだった。やはり悲しみを乗り越えるのは人の温かさであり、とりわけ連れ合いの存在が大切であろう、と親戚縁者ら周囲は考えたのだった。もっとも、まだ悲しみが癒えていないうちに、その種の話を勝手にすすめるのはかえってセオドアの心を傷つける恐れがあり、いささか無神経な行動だ。したがって周囲では隠密裏にことを進行させていたらしい。

そしてまもなく、セオドアは一人の女性と出会った。イーデス・カーロウという名前の女性であった。二人は意気投合し恋仲となっていく。これまで口数も少なかったのが一変、もとの饒舌なセオドアに戻ったという。食欲も回復して削げた頬も元に戻った。マイナス思考もプラス思考に転換された。

ほぼ同時期、潤沢なる資産にものをいわせてロングアイランドの北側、サガモア・ヒルに別荘を建てた。オイスター湾が一望できる風光明媚なところである。この地は子供のころ両親とよく遊びにきた思い出深い場所であった。のちにこの別荘は、「サマーホワイトハウス」と呼ばれ、政治的に重要な役割を果たすことになる。ちなみに現在は記念館になっている。また、この地から臨むオイスター湾上では、メイフラワー号で日露戦争終結のセレモニーが行われた。

別荘が完成した翌年の一八八六年一二月、セオドアはイーデスとロンドンで挙式した。

あの忘れ得ぬ「二月一四日」の悲劇から二年一〇か月後のことであった。

人気キャラクター誕生のきっかけ

ここで注目したいのは、結婚した年にセオドアが狩猟団体を設立したことである。この団体の活動を通じ、セオドアは自然保護や動物保護に尽力した、ということになっている。なぜ彼は、そのような行動を起こしたのだろうか。

前述したようにノースダコタは手つかずの自然が豊富で、野生動物の宝庫であった。当時、その環境でインディアンの野牛乱獲を指摘する声もあがっていた。セオドアはこの現状を鑑み、動物への愛護を高らかに謳い、自然を損ねてはいけないという環境保護の考え方を世に訴えるために狩猟団体を設立した。

しかし本当に、セオドアはそういった動機だけで狩猟団体を設立したのだろうか。セオドアの狩猟の写真が何枚か残されている。それは、サファリルックで野牛を撃ち斃してその上に腰かけ、愛用のウィンチェスター・ライフルを腹に立てかけて腕組みしていたり、大きな熊を至近距離から撃ち殺したと腕前の良さをアピールしている写真もある。

セオドアの狩猟には、環境保全のための野生動物のコントロールとか、乱獲を防ぐ秩序ある狩猟だとかの大義名分はあったのだろう。しかし彼は単純に、狩猟を楽しんでいたのではないだろうか。

セオドアの著書『狩猟の旅』（"Hunting Trip a Ranchan" 一八八五年刊行）や『野生の狩人』（"Wildness Hunter" 一八九三年刊行）には、純粋に大物狩りを楽しむ彼の姿が散見される。「大型の雄の野牛を発見し山を乗り越えて追跡、ようやく仕留めた」などという記述には、彼の義務感ではなく達成感が感じられる。

銃から発射された弾丸がターゲットに命中し、スローモーションの如く大物が倒れる……。その瞬間こそ最大の醍醐味であったのだろう。いかにも「どうだ」と言わんばかりに自慢気のセオドアを思い浮かべることができるではないか。

セオドアと狩猟については、美談につつまれたエピソードがある。今日でも世界中から愛されるキャラクターの名前が、セオドアに由来するのである。

一九〇二年秋のことだった。セオドアはハンターを従えて熊狩りに出かけた。その際、新聞記者を同行させている。セオドアはこの日、熊を撃ち獲ることができなかった。ところが同行したハンターの一人が熊を撃ち、急所は外れたものの瀕死の状態であったらしい。彼は最後のとどめをセオドアに、と申し出た。ところがセオドアは「瀕死の熊を撃つことはスポーツマン精神に反する」とその熊を撃たなかったという。

「ワシントンポスト」紙に掲載されたイラスト

これが後日、同行した記者（クリフォード・ベリーマン）により、新聞（「ワシントン・ポスト」紙）に掲載された。しかもイラスト付きであった。

この記事に対する読者の反応は、すこぶる良かった。特に子供向けに「相手のことを思いやる気持ちが大切」という教訓エピソードとして広まった。そして、この記事に感銘を受けたあるお菓子屋さんが、一体の熊のぬいぐるみを作り、セオドアの愛称にちなんで「テディベア」と名付けた。これをシュタイフ社が商品化すると、瞬く間に人気となった。

テディベアは戦後、人気歌手プレスリーの曲「君のテディベアになりたい」が全米七連続週一位となりさらに有名になった。また、児童小説「クマのプーさん」はテディベアから着想を得たといわれている。今ではセオドアの誕生日である一〇月二七日が「テディベアの日」となっているほどで、世界中を巻き込む人気キャラクターの一つであるのはご存知の通りだ。

しかしである。どうもこの〝美談〟にはウラがあるように感じられる。はじめからセオドアの仕組んだプランであった可能性もなくはないだろうか。

当時からセオドアが動物狩りを趣味としていることは知られていたが、一部から批判を浴びていた。「動物愛護を謳いながら動物狩りとは矛盾している」との批判であった。このマイナスイメージを、プラスに変換するエピソードが必要と考えたのかもしれない。だからワシントンポスト紙の記者をわざわざ狩りに同行させていたのだろう。

「アフリカン・サファリ」

そもそもセオドアは、思考と行動に矛盾する傾向がみられる。その最たるものが、大統領退任直後に行われた「アフリカン・サファリ」だろう。

一九〇九年三月二三日、二期の大統領職を終えたばかりのセオドアは、数十人の狩猟団を結成し、ニューヨーク港をスタートした。目指すは大型獣の宝庫、アフリカだ。

この大掛かりなプロジェクトは、大型獣を捕獲して剥製とし展示するというもので、当時の財閥カーネギー財団の援助を受けてスタートした。狩猟団には剥製技術者も含まれていたという。

学術的目的が掲げられていたものの、このアフリカでの動物狩りは凄まじかった。当時の英領アフリカ（現ケニア）やドイツ領東アフリカ（現タンザニア）周辺を猟場とし、ライオン一七頭、象一一頭、ヒョウとチータそれぞれ一〇頭、ほかにカバ、キリン、野牛など、合わせると射殺した動物は五〇〇頭以上にものぼった。

一体セオドアは大型獣を射殺した瞬間、何を考えていたのだろうか。

セオドアが知った銃による充足感。不幸のどん底に突き落とされて都落ちしたノースダコタ時代、彼はある種の欲望を目覚めさせてしまった。

一般的にライフル業界の宣伝チラシには、必ずこう書いてある。

「一度やったらやめられない快感」

銃を発射させて目的物を破壊する行為は、忘れられぬ快感ということである。気分爽快間違いなし、といったところだろう。そして獲物が大きければ大きいほど、快感は大なのであろう。「アフリカン・サファリ」も、大型獣の剥製を採取・展示する目的よりも、大型獣を銃殺する快感が本音であった、と推測するのである。

人は銃の威力を知れば虜になるらしい。銃による快感で思い出すエピソードがある。一九七九年、千葉県君津市でトラが三頭逃げ出した事件である。

このトラは、聖徳太子が創建したといわれる名刹の住職がペットとして飼育していたものだが、うっかりミスから檻の鍵をかけ忘れ逃げ出したのだ。東京ドーム三個分の広大な土地はほとんど森林ばかり。トラは森林に逃げ込み大騒動になったのである。

当時テレビ局のニュース部にいた私は取材に駆り出された。地元の猟友会には、普段絶対にありえないトラを銃で撃つ許可が下りた。トラを撃つ機会を得て猟友会の人たちはみな興奮しているように見えた。取材で言われたことが今も記憶に残る。

「普通は鳥とかシカぐらいだろう。猛獣、それもトラなんてあり得ない。一生に一度あるかないかです。いや一生かかったってこんな機会はありません。だから皆ワクワクしているんだよ」

そしてトラは銃殺された。この時、数人の猟友会メンバーが一斉に銃を発射させたため、的中者は誰なのかは神のみぞ知るのだが、射殺したのは「俺だ」「いや私だ」ともめたことを覚えている。それにしても、メンバーの顔は赤みを帯び、興奮した喜びの様は愉悦に浸っているように見えたものだ。

また、セオドアが大型動物を撃つとき、彼には別な感慨があったかもしれない。それは、西部開拓の兵士が乗り移ったような気持ちではないか。

セオドアは西部開拓への思い入れが人一倍大きかった。銃から弾丸が発射されてターゲットが斃れる様は、西部開拓で活躍した兵士の心意気と重なったのではないか。かたやインディアンを殺戮しながら土地を拡大していく兵士。こなた大型獣。ともに銃により目的を達成する「フロンティア・スピリッツ」が感じられ、それは彼自身のアイデンティティでもあった。

世界史を動かした？　サラ邸訪問の真相

セオドアは銃による爽快感で鬱をふっ飛ばし、元気を取り戻した。狩猟の醍醐味を知ると同時に、銃の凄さをあらためて認識したに違いない。姿形だけでなく優れた性能をもつ銃の虜になったのだろう。銃身、トリガーのおさまり具合、ずっしりとして重厚な肌ざわり。セオドアはまるでペットを愛するが如く銃を愛した。

セオドアが大型獣をしとめてきた愛銃は、ウィンチェスターM1876センチネル・ライフルであった。セオドア自身「私が所有した銃のなかでベスト・ウエポン（最良の武器）だ」と言っている。

セオドアは、ウィンチェスター・アームズ社のライフル銃を通じて、ウィンチェスター・サラ夫人の存在を知ったのであろう。ライフル・キングの御曹司の妻であり、美貌の持ち主のうえ四か国語を駆使する才媛の存在を。

前に触れたようにセオドアは、北キャンベルでの植樹祭のイベントに参加したついでにサンノゼのサラ邸を訪問した、ということになっている。訪問の目的はサラ邸独特の館の見学であった、というのだ。

しかしそれらはあくまで表面的なものでしかないことは、前章で指摘した通りだ。

当時、サラはスピリチュアリストの一面を持つといわれていたから、セオドアはある魂胆を抱いて訪問したのではなかったか。これも前述したとおりだが、問題はその時期である。

セオドアがサラ邸を訪問したのは一九〇三年春のこと。当時の世界情勢の焦点は、アジア大陸の権益をめぐる、列強の綱引き状態であった。大国ロシアをはじめイギリス、フランス、ドイツ、スペイン、日本そしてアメリカがしのぎを削っていた。こんな中、ロシアと日本は朝鮮半島の権益をめぐって激しく対峙、きな臭い状況が続いていたのである。

セオドアがサラ邸を訪問したのは大統領三年目。ほぼ同時期、日本では最重要会議が行われていた。一九〇三年四月二一日、元総理大臣、山県有朋の京都の別荘に歴代総理が集結していた。出席者は四人。初代総理大臣・伊藤博文、第一〇代総理大臣・山県有朋、現役総理大臣・桂太郎、それに外務大臣・小村寿太郎であった。後に桂太郎は「この会議で日露開戦の覚悟が決まった」と述べている。つまり日露開戦を決定付けた重要な会議であった。

この決定は極秘裏であったものの、当時、日本の後ろ盾であったアメリカのセオドアの耳には届いていたはずだ。なぜなら極秘会議に出席した小村寿太郎と強いラインで結ばれていたのが、金子堅太郎という人物。この金子はセオドアとハーバード大学の同窓の仲で、セオドアが「忠臣蔵」や柔道を好きになった、いわば日本贔屓となるきっかけをつくった人物だ。

当時、金子はニューヨーク・マンハッタン地区五番街三〇丁目の「ホランド・ホテル」の四階に事務所を構えており、頻繁にセオドアと通じていた事実があった。後年、日露戦争終結にあたっても金子堅太郎が活躍しているのは歴史が証明している。

日本とロシアは戦争に突入するという国家機密事項を、セオドアはサラ邸訪問前に入手したと考えられる。もっともセオドアの頭の中ではすでに、日露の開戦は描かれていたであろう。開戦となればアメリカの覇権争いには有利に働くからだ。大国ロシアを意識したアメリカは、日露開戦により間違いなくロシアは疲弊すると判断していた。

一方、日本もアメリカ、イギリスのサポートがあれば強気に出た戦いになるであろう。この日露の戦いを有利に導かなければならない、そうセオドアは心の裡で思ったに違いない。言ってみれば漁夫の利を狙ったというわけだ。

日露開戦の決定事項というニュースは緊迫感が伴う。直接的な関与でないにせよ、アメリカの国益を大きく左右する一大事だ。これにどうコミットしていくか、好戦的なイメージのセオドアも、軽々に判断を下せることではなかったのだろう。スピリチュアリストとしてのサラに今後の指針を求めるものだったのではないか。

そこで、植樹祭という牧歌的なイベントに絡ませ、周囲に緊張感を悟られることなくサラ訪問を組み込んだのではなかろうか。それは、セオドアが愛する「忠臣蔵」で、討ち入りを悟られまいと大石内蔵助は連日宴を催し女と戯れる状況を作ったごとく、である。

そして、後年カリフォルニア州知事になったハイラム・ウォレン・ジョンソンにサラ邸訪問の段取りをとらせたのであろう。結果的にサラには居留守を使われ、門前払いの憂き目にあってしまったが。

セオドアは好戦的で強い男のイメージであった。だからこそ強さにこだわるアメリカ人の気質と合致し、民衆から尊崇され人気があった。だが一方で、本質は繊細で神経質な一面を持つ。子供時代は病弱で、昆虫に夢中の典型的なインドア少年だった。そんな弱い一面をボクシングや銃によって克服し、「強いアメリカ」を体現することで、歴代大統領でも屈指のカリスマ的な英雄に上りつめたのだった。

サラ邸訪問は、セオドアの弱い一面が出た行動ではなかったか。繊細でナイーブな側面を持つがゆえに、日露戦争突入という極秘情報をキャッチするや、ある種の〝震え〟を覚えたのだろう。この〝震え〟を払拭すべく、スピリチュアリストとしてのサラの天の声を聞き、「力」が欲しかったに違いない。要するに、弱さの部分を神頼みで克服しようとしたのではないだろうか。

ノーベル平和賞に輝く

おさらいすると、セオドアのサラ邸訪問は三つの要素が重なった結果といえる。

まずは、愛用の銃とのよしみから、ウィンチェスター家御曹司の未亡人サラへの好奇心が募ったこと。次に、セオドア自身のプライベートの不幸がサラの不幸と重なり、同質の悲劇を味わった仲間意識。そして、重大な局面に際し、実は繊細な心を持つセオドアが、スピリチュアリストであるサラの言葉によって一歩前に出る力が欲しかったこと。これらがないまぜとなってサラとの面会を求めた、と私は推測している。

だが、サラとの面会は叶わなかった。セオドアにとっては想定外であっただろう。事前にアポをとっていたにもかかわらず空振りに終わったのは、天下の大統領の面目丸つぶれと相成った。神経質で人嫌いなサラと接触するのは、そう簡単ではなかったのだ。

セオドアがもしサラと会っていたら、どう歴史が変わっていたのか。歴史に〝たらればᐟᐟ〟は禁物であるけれど、あえて言わせていただければ、事態は日露戦争にとどまらなかったかもしれぬ。サラがもし「海の向こうの西の方へ進め」とご託宣すれば、好戦的なセオドアのことである、世界制覇のために武器を掲げてアクティブに指揮を執ったかもしれない。

スペイン戦争で功名をあげ、フィリピンを傘下におさめ、中南米においてもパワーを発揮してパナマ運河の利権を有利にしたセオドアだ。「棍棒をもって穏やかに交渉せよ」の政治姿勢を発揮し、銃によって西に侵攻したアメリカの歴史を踏まえて、西部開拓ならぬアジア開拓を目指した、かもしれない。もっとも、サラと面会したとしてもそういったリスクを追わず、日本を支えながらロシアをけん制し、漁夫の利を狙ったかもしれないが。

サラ邸訪問から数か月後、一九〇三年八月に日露交渉が行われた。けれど両国は言い分を主張し歩み寄りは見られなかった。その後も裏に表に交渉を重ねたものの決裂。このため翌一九〇四年二月八日、ついに日露戦争が勃発した。

結果論から言えば、この戦いで両国はともに疲弊した。ロシアの戦死戦傷者約三万四千〜五万三千人。一方、日本は戦死戦傷者約五万五千人。費やした戦費は当時の金額で二〇億円以上。国家予算の八倍であったという。ロシアも国内でロシア革命（第一革命）が起こり、日本との戦争に注力できる状況ではなくなっていく。

得をしたのはやはり、漁夫の利を得たアメリカだったのではないか。しかも戦争を終結（一九〇五年九月五日）させた立役者として、セオドアはアメリカ初のノーベル平和賞に輝いたのだった。血みどろの日露戦争を終結させ、世界平和に貢献したとの評価を得たのである。

銃に彩られた人生

セオドアは他の大統領に比べて著書が多く、冒険ものから歴史ものまで多岐にわたる。作品数は約三〇。ほとんどの作品は一本の筋が通っており、これが特色といえる。一本の筋とは「銃」だ。畢竟の作品といわれる『西部の征服』は、執筆に九年の歳月をかけたという。それだけ思い入れが強かったといえる。

もちろん西部開拓は、銃なくしては成り立たぬ。つまりこの作品にセオドアの思想、精神の核がすべてつまっているといっていいだろう。

繰り返しになるが、「Speak softly, and carry a big stick」というセオドアの言葉は実に明瞭である。銃という言葉こそ使っていないものの、武器（銃）をチラつかせて穏やかに交渉する戦略だ。暗黙の恫喝で相手を屈服させてしまう。セオドアの勝利の方程式といえるだろう。

武器をチラつかせて相手との交渉を有利に運ぶのは、今のアメリカでも脈々と生きているではないか。セオドアはまことに「強いアメリカ」を体現した「強い男」であり、今もその精神性は息づいている。

セオドアの語録がいくつか残されている。主なものを記してみよう。

「遊ぶときは思いきり遊べ。仕事のときは一生懸命働け。遊びを一切考えるな」（When you play hard, when you work, don't play at all.）

つまりメリハリをつけろ、ということか。遊びの場で銃を持って動物を追い回すことに夢中であったセオドアだが、仕事の場である政治に銃を取り込んでいる矛盾も垣間見えるではないか。

「目を星からそらすな。地に足をつけろ」（Keep your eyes on the stars, and your feet on the ground.）

何事も浮ついた気持ちではターゲットを射ることはできない。集中が大切ということ。これとて銃の「イロハ」ではないか。

「行動を起こし、現状を把握せよ。貝のようにジッとしてはダメだ」(Get action. Seize the moment. Man was never intended to become an oyster.)

何もせずに黙してジッとしていてはいけない。現状を理解して行動に移しなさいということ。獲物をただ見つめていても仕方がない。周囲をよく観察してからトリガーを引け、という意味に取れなくもない。

「一票は一丁のライフルとおなじようなもの。それが役立つかは利用者次第である」(A vote like a rifle, its usefulness depends on the character of the user.)

投票によって大統領の地位を得たセオドア。だが投票も人によるということ。自分にとって投票者は大事。銃も大事。

セオドア語録はいずれも、銃という小道具が見え隠れしているように思えるではないか。

セオドア・〝テディ〟・ルーズベルトは、ウィスコンシン州ミルウォーキーで演説中に狙撃された。奇跡的に懐中に忍ばせた演説用の分厚いレポートと金属製の眼鏡ケースのおかげで、致命傷を免れた。しかしこの七年後の一九一九年一月六日、睡眠中に亡くなった。六〇歳だった。死因は様々な説があるが、その一つにこの暗殺未遂事件がある。なんと遺体解剖の結果、体内に弾丸が残されていたというのだ。この弾丸が歳月を経て少しずつ溶け出し、感染症を引き起こして亡くなったという見立てである。ひょっとすると弾丸は鉄製の眼鏡ケース等で砕け散り、一部だけが急所を外れて体内にめり込んだかも知れず、この一部の鉛が溶け出したということなのか。

それにしてもセオドアは軍人、狩猟家の側面を持ち、銃とは切っても切れない縁で繋がっている。加えて暗殺のターゲットとされ、銃で狙われる側も体験している。死後、体内に銃の弾丸が眠っていたのは、けだし象徴的といえるだろう。

セオドアの死から三年後、サラ・ウィンチェスター夫人も天に召された。日露戦争終結日と同じ九月五日の旅立ちであった。

第4章　大統領を襲った銃と、征服された者の〝呪い〟

アメリカ大統領の宿命

大統領が一番無防備でいるのは旅行中といわれている。特にリスキーなのが、市街地をゆっくり自動車でパレードしている時だという。第三五代ケネディ大統領の暗殺（テキサス州ダラス）がそうであった。それ以来、リムジンのステップには銃を持ったシークレットサービス（ＳＰ）を立たせ、睨みをきかせている。さらに群衆の中にもＳＰを潜り込ませたり、屋上などスナイパーが狙いやすいところに配備しているという。

アメリカのＳＰの警備管轄は一五地区あるといわれている。たとえばワシントンＤＣは第五警備地区、ホワイトハウスは第六警備地区にあたり、およそ七〇名のＳＰが常時配備されている。加えて一三五名のホワイトハウス付の警察官がいる。まさに水も漏らさぬ警備体制になっているのも、過去の教訓から学んだからであろう。

とはいうものの、時代を問わず危険にさらされるのは大統領の宿命といえるだろう。

二〇一八年七月、ニューヨークのトランプタワーで不審物が発見され、爆発物ではないかと一時、騒然となった。トランプタワーはトランプ大統領の私邸であり、世界のＶＩＰを招いているところ。安倍総理もトランプ大統領の誕生と同時に、素早くゴルフ道具をお土産に〝大統領詣で〟をした場所である。

爆発物処理班が出動して調べた結果、不審物はビルのロビーと二階の植木鉢から見つかった。袋に入ったバッテリのようなもので、爆発物ではなかった。

さらにホワイトハウス近くの高級ホテル「トランプインターナショナル・ホテル」（トランプ一族の経営）で、ライフル銃や拳銃を不法に所持していた男（当時四三歳）が逮捕されたこともあった。男は「トランプ（大統領）と接触したい。俺はオクラホマ州の連邦ビル爆破事件（一九九五年四月）の犯人のようになりたい」と知人にメッセージを送っていたという。連邦ビル爆破事件は、大量の爆発物を積んだトラックが爆発し、子供一九人を含む一六八人が死亡、八〇〇人以上が負傷した事件で、犯人は陸軍退役後に銃の販売などをしていたがその後逮捕され、死刑となった。

世界最強の権力者であるアメリカ大統領は、常に暗殺のリスクと背中合わせにある。

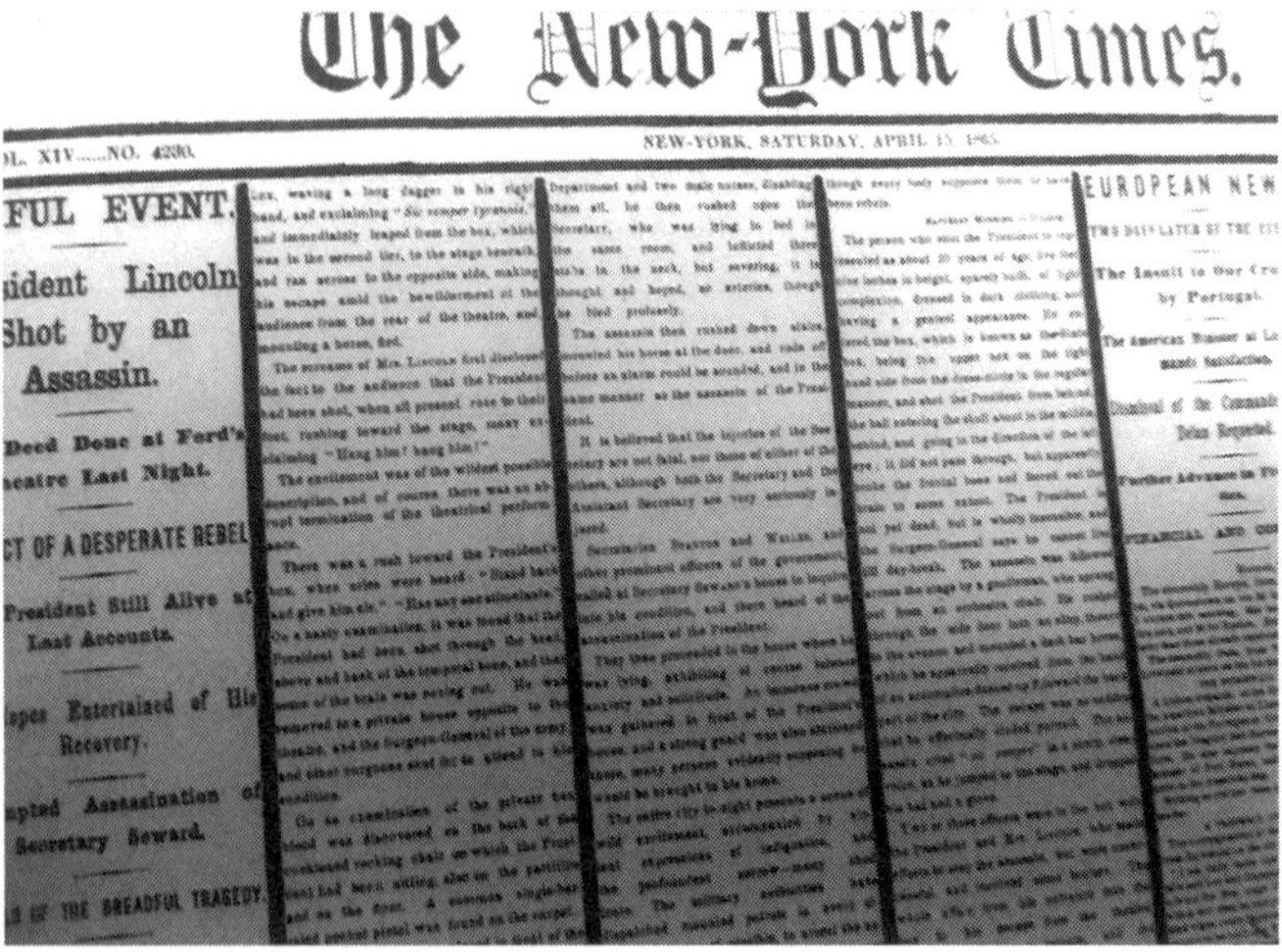
The New-York Times.

L. XIV.....NO. 4230.

NEW-YORK, SATURDAY, APRIL 15, 1865.

FUL EVENT.

ident Lincoln Shot by an Assassin.

Deed Done at Ford's Theatre Last Night.

CT OF A DESPERATE REBEL

President Still Alive at Last Accounts.

Hopes Entertained of His Recovery.

mpted Assassination of Secretary Seward.

OF THE DREADFUL TRAGEDY.

EUROPEAN NEW

The Insult to Our Cr by Portugal.

The American Minister at L mands Satisfaction.

Dismissal of the Commande Delas Requested.

Further Advance in F

FINANCIAL AND CO

リンカーン暗殺を報じるNYタイムズ紙

アメリカ大統領の暗殺は、既遂が四人いる。リンカーン、ガーフィールド、マッキンリー、ケネディである。

第一六代リンカーンの場合

南北戦争で北軍が勝利してまもなく、エイブラハム・リンカーンは勝利の美酒ならぬ芝居の観劇中に背後から左耳の後ろを拳銃で撃たれた。アメリカ大統領の初の暗殺事件だった。

当時の「ニューヨークタイムズ」紙を閲覧すると、黒枠付きの記事で報じられていた。現代のように写真はなく文字で埋め尽くされている。

「恐ろしき事件」という見出しとともに、

「大統領は重篤だが〝まだ生存〟」という小見出しがある。

——四月一五日（一八六五年）土曜日午後九時三〇分ごろ、リンカーン大統領は妻とともにフォード劇場二階の私設ボックスに座って観劇（「アメリカのいとこ」）していたところ、背後から何者かによって拳銃で頭部を撃たれた。北軍の勝利で至福の時間を突然に崩されてしまった。犯人は狙撃直後に二階の手すりを乗り越え、カーテンを伝わりステージに飛び降りて、そのまま逃走した云々……。

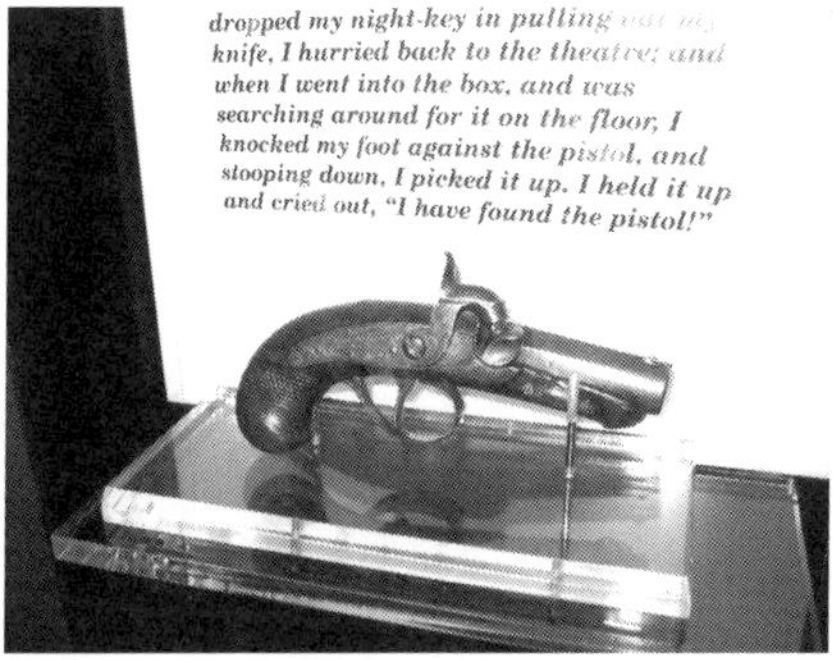

リンカーン暗殺に実際に使われたデリンジャー

犯人は役者くずれの南軍系の男であった。名前をジョン・ブースといった。使用した拳銃はデリンジャーだった。この銃は現在、ワシントンＤＣのフォード劇場歴史館に展示されている。

戦に敗れた南軍系の人びとにとって、この惨劇ほど胸のつかえの吹っ飛ぶ爽快な出来事はなかっただろう。なにしろ五年にわたる南北戦争に負けて意気消沈していたのだ。

ジョン・ブースは事件の後逃走し、陸軍による大規模な捜査が行われた。そして四月二五日、立てこもっていた倉庫を包囲されて銃撃され、翌朝絶命した。共犯者として八名が逮捕され、うち四名が処刑された。

一八六五年四月一九日に行われたリンカーンの葬儀には、数万人が押しかけた。彼の遺体は列車にのせられ、ニューヨークからイリノイ州スプリングフィールドまで二五〇〇キロの葬送となり、道中では数十万人がこれを悼んだという。

ニューヨークでは、当時六歳だったセオドア・ルーズベルトが、祖父母の家の二階からリンカーン葬列の様子を見ていた。まさかそれから三七年後に史上最年少でアメリカ大統領になるなんて夢にも思わなかっただろうし、まして自ら暗殺のターゲットにされ、胸に銃弾を受けるとは思わなかったに違いない。

第二〇代ガーフィールドの場合

一八八一年七月二日午前七時半ごろのこと。ワシントンDCのボルチモア・ポトマック鉄道の六番街の駅で、チャールズ・J・ギトーは大統領ジェームズ・ガーフィールドを待ち伏せしていた。ガーフィールドはこの日、母校のウィリアムズ大学で演説をすることになっていた。

ガーフィールドは大統領に就任してまだ四か月足らずだった。この頃はまだ護衛を使っておらず、二人の息子と国務長官を伴っているのみだった。

ガーフィールドは背後から狙撃された。一発は腕を掠めたけれど、もう一発が背中から腰椎に着弾した。その日のうちにホワイトハウスに連れ戻され、治療が続けられたものの二か月後の九月一九日に亡くなった。

暗殺者ギトーは狙撃後に逃走を試みたが、すぐ警察官に捕らえられた。その際、聴衆から「リンチしろ」との罵声を浴びている。セオドアの狙撃者が捕らえられた時と聴衆の反応は全く同じであった。

ギトーは職業を転々としたのちに政治に関心を寄せた。大統領のために演説原稿を書き、大統領に接近したのだった。が、当然のことながら相手にされず挙句に当時の国務長官（ジェイムス・ブレイン）から「二度とホワイトハウスに来るな」と叱責された。

以来、暗殺を思い立つ。拳銃の知識はなかったギトーは当時五〇ドルで拳銃を購入。銃の訓練を二週間行ったという。

この暗殺事件で私が関心を寄せたのは、ギトーの拳銃についての考え方であった。ギトーは44口径のブリティッシュ・ブルドッグ・リボルバーを購入したのだが、その際、拳銃の銃杷（グリップ）にこだわっていたらしい。単なるブナやカエデの木製ではなく象牙製を選んだと後に供述している。

供述によるとギトーは、後に大統領暗殺に使用された銃は展示されることになるだろうから、できるだけ「見栄えのいい拳銃を」というのがこだわった理由だったらしい。ブリティッシュ・ブルドック・リボルバーは、全体的に丸みを帯びて優雅さが感じられるが、ギトーがこだわった象牙製の銃把には、草花のような模様がほどこされている。このあたり、政治的野心が転じて暗殺に至ったギトーの自己顕示欲がうかがえるではないか。

ところがギトーの思惑は見事に外れた。この拳銃は展示されなかったのだ。ギトーを捕らえることに夢中となった警察官（パトリック・カーニー）が、凶器すなわちブリティッシュ・ブルドック・リボルバーの確保をおろそかにしてしまったというのである。何者かが銃をピックアップして持ち去ってしまったらしい。結局銃は見つからず行方不明となってしまった。

いつかこの拳銃がオークションに出されるかもしれない。かの天才画家、フィンセント・ファン・ゴッホが自殺した時に使用した拳銃（7ミリ口径回転式ルフォシュ）が一二〇年以上の歳月を経て、パリのオークションに出品されたこともある。予想額を大きく上回り、銃のマニアによって一六万二五〇〇ユーロ（約一九八〇万円）で落札されたのだから（二〇一九年六月一五日）、歴史に登場する銃として市場に出てくる可能性もある。

第二五代マッキンリーの場合

暗殺現場はニューヨーク州北西部のバッファロー。五大湖のひとつエリー湖の東端に接しており、現在はニューヨーク州第二の工業都市である。

一九〇一年九月六日、ウィリアム・マッキンリーはパン・アメリカン博覧会に出席するためバッファローを訪れ、「テンプル・オブ・ミュージック」というイベント会場にいた。大統領を一目見ようと、人びとが列を作っていたという。

この列に犯人、レオン・チョルゴッシュは潜り込んでいた。そして拳銃（リボルバー）をハンカチーフに隠して近づき発砲したのだった。発砲は二発。一発はろっ骨を掠っただけだったが、二発目が腹部に命中した。狙撃から六日後に容態が急変、マッキンリーは死亡した。

この暗殺劇を受け、米国憲法に基づき副大統領のセオドア・ルーズベルトが大統領に就いたのは前述のとおりである。

暗殺者チョルゴッシュは大統領暗殺の動機として、「私の義務を果たすために殺した」さらに「私は一人の男（マッキンリー）があのように多くの任務をこなし、他の者は何もしないでいるべきではないと思った」と供述した。かれは女性の無政府主義者、エマ・ゴールドマンの講演にたびたび参加、強く影響を受けていたという。ちなみにエマはリトアニアの生まれ。一五歳でアメリカに移住した。縫製工場で働く一方、アナキストグループと知り合い、ニューヨークを拠点にたびたび演説会を開いた。日本の大逆事件（幸徳事件＝明治四三年）に抗議、集会を開いたと伝えられている。

チョルゴッシュはこの年の秋、電気椅子によって処刑された。

第三五代ケネディの場合

暗殺既遂の最後は第三五代ジョン・Ｆ・ケネディである。ケネディの暗殺についてはこれまで膨大な資料、文献、映像作品などが存在する。本書ではごく簡単に記すにとどめておく。

一九六三年一一月二二日金曜日、午後〇時半のこと。テキサス州を遊説中のケネディ大統領は、妻ジャクリーンとともにリムジンのオープンカーに乗り込みダラスのエルム通りを時速一四キロから二一キロ前後でゆっくりと走行中、銃弾を受けた。近くの教科書倉庫ビル六階から発射された銃弾は三発。一発は外れたものの二発はケネディに着弾。うち一

狙撃直後、後方の護衛車からリムジンに飛び移るシークレット・サービス

発は頭部を直撃したのだった。銃器はイタリア製カルカノM１９３８ライフル銃であった。
ケネディは当時圧倒的な人気を誇っており、熱狂的な群衆が詰めかけていた中での暗殺であった。しかもパレードは衛星中継されていたから、世界中が度肝を抜かれる衝撃的な事件となった。
犯人とされたリー・ハーヴェイ・オズワルドは、まもなく狙撃現場から2マイル離れた映画館で逮捕された。ところが後日、ダラス警察署地下通路を連行中に回転式拳銃（コルト・コブラ）の弾丸を腹部に受けて射殺されてしまった。射殺したのはナイトクラブオーナーのジャック・ルビーだった。これにより事件の真相は謎に包まれてしまい、いまだに判然としないのはご存知の通りである。

アメリカ放浪中、私はどうしても暗殺現場を自分の目で確かめたくてサンフランシスコからバスを乗り継ぎ、約四八時間かけて行ったことがあった。事件現場近くにケネディ記念館ができていた。内部には暗殺事件を再現する模型があり、ボタンを押すとケネディの乗ったリムジンの模型が走り出し射殺現場にさしかかると銃声が聞こえる仕組みであった。この記念館で私はケネディの記念メダルを買った。記念館を見学したあと、オズワルドが逮捕された映画館に向かった。当時この映画館では3Ｄ（立体映画）を上映中で、入口でサングラスのようなものを渡された。ちなみに映画はポルノチックのものであった。

第七代ジャクソンの場合

暗殺未遂の大統領についても触れておこう。

暗殺未遂の第一号は第七代アンドルー・ジャクソンである。ジャクソンといえば民主党初の大統領でインディアンの掃討で活躍。紙幣（二〇ドル）の肖像画にもなっている人物だ。

一八三五年一月三〇日、国会議事堂近くが暗殺未遂の現場だった。この日、政治家（下院議員・ウオーレン・R・デイヴィス）の葬儀を終えて国会議事堂から出てきたところを狙われた。

狙撃者は群衆から飛び出し、ジャクソン目がけて拳銃の引き金をひいた。けれど不発だった。あわてた狙撃者はもう一丁の拳銃を素早く出して引き金を引く。けれどもふたたび不発であった。二丁の拳銃を用意したにもかかわらず弾丸は発射されなかったのだ。

狙撃者はその場で捕らえられた。元塗装工のリチャード・ローレンスで、動機は「失業の多い社会は大統領の責任」と述べた。

それにしてもなぜ不発だったのか。後日の検証結果では二丁の拳銃（リボルバー）とも弾丸は発射された。つまり欠陥拳銃ではなかった。不発の原因は当日の天候。曇天で湿気のせいだというのだった。これはセオドア同様に奇跡と呼ぶべきか。当時、市民の間では「神に守られた大統領」と言われた。

そんな大統領、ジャクソンが名を挙げたのはインディアンの掃討であった。部下にデイビット・クロケット（一般的にはデヴィー・クロケット、アラモの戦いで戦死）がいた。今ではジャクソン大統領よりも有名な人物で、いわば国民的英雄の一人である。かつて日本でも小坂一也が歌い大ヒットした「デビー・クロケットの唄」（作詞：トム・ブラックバーン&ジョージ・ブラックバーン、訳詞：レイモンド服部）が有名である。

その歌詞に、~テネシー生まれの快男児　その名はデビー・クロケット　わずか三つで熊退治~とある。三歳で熊退治とは信じ難いエピソードだが、それだけ並外れた人物と讃えたのであろう。

暗殺未遂で難を逃れたジャクソンは若き頃、決闘好きであった。決闘中に受けた銃弾が胸に残り、生涯悩まされていたという話も伝わっている。やはり、銃と深いかかわりのあった生涯といえようか。

第三二代ルーズベルトの場合

フランクリン・D・ルーズベルトはセオドアの従弟といわれているが、正確には五従弟（一二親等）にあたるという。ニューディール政策（新規まき直し政策の意味）と大統領在位が歴代で最長（一二年）であったこと、さらに日本からみれば第二次世界大戦中の大統領であったことが思い浮かぶ。歴代アメリカ大統領では常に人気ランキングで上位を占める。

歴代最長の大統領であっただけに暗殺のターゲットにされたのはけだし当然であろうが、公式の記録では暗殺未遂が一件だけ。運がよかったというべきだろうか。

フランクリンは一八八二年一月三〇日にニューヨーク州ハイドパークで生まれた。鉄道会社の副社長であった父ジェームスが五四歳の時の子供だった。母のサラ・デラノはフランス系プロテスタントで、フランクリンが生まれる際、大変な難産であったらしい。

ハーバード大学出身は従兄のセオドアと同じ。その後、フランクリンはコロンビア大学ロースクールを卒業した。やがてエレノアという女性と結婚。エレノアはすでに実父が亡くなっていたため叔父が父親代わりをした。

この叔父こそセオドア・ルーズベルトであったのだ。つまりフランクリンは遠い親戚の娘と結婚したわけだ。

やがて、ウィルソン大統領に請われて海軍次官に就任。ちなみにウィルソンはセオドアと大統領選挙で戦い、勝った人物だ。フランクリンは海軍次官からニューヨーク州知事（第四四代）を経て大統領へ上り詰めるという、セオドアとよく似た経歴パターンであった。

またマスメディアの利用に長けていたのもセオドアとそっくりだった。セオドアは新聞メディアを、フランクリンはラジオを巧みに利用、〝炉辺談話〟は人気を博した。ただし、セオドアは共和党（のちにブルムース党）、フランクリンは民主党であった。

フランクリンは最初の大統領選挙戦で大敗を喫した。相手は共和党のウオーレン・ハーディング、のちの二九代大統領になる人物だ。失意のフランクリンはいったん政界を引退、弁護士となった。

再び政界に復帰して二度目の大統領選挙に出馬した。この時は、現職の共和党ハーバート・フーヴァーとの一騎打ちであった。フランクリンはニューディール政策を訴え聴衆を惹きつけた。さらに敵方のフーヴァーの財政政策を「無駄使いの権化」と徹底的に批判した。

その結果、フランクリンは大統領の椅子を手に入れた。ところがまもなく暗殺事件に遭遇。一九三三年二月一五日、フロリダ州マイアミを訪れたときのことであった。

すでに湾前公園には一万五千人がつめかけフランクリンの演説が始まるのを待っていた。演説の第一声は「私はよそ者ではありません」。続けて「このマイアミに七年間住んだこともあります。なので私は帰ってきたのです」と言うと、大歓声が沸き起こった。「私は先ほど釣りの旅から帰ってきました。素晴らしい一一日間でした。大漁の収穫もあり、本当に素晴らしい日々でした」とフランクリンは何度も〝ワンダフル〟と繰り返した。彼は大統領選挙後、フィッシング・クルーズに出掛けていたのだ。

そして「今は釣りの自慢話はしません」とジョークを挟み、これからのアメリカについて熱っぽく語った。一七日後には正式に第三二代アメリカ大統領となる。まさに人生最高の充実ぶりであったと、「ニューヨークタイムズ」紙のジェームズ・A・ハガティ特派員は伝えている。

だが、この聴衆のなかに一人の狙撃犯がいた。フランクリンがマイアミの湾前公園に来ることを新聞で知った狙撃犯は、すでに北マイアミ街通りの質屋で八ドルの拳銃（リボルバー）を手に入れていた。

フランクリンの演説が終わった直後の午後九時三五分、銃声が轟いた。銃声は続けざまに鳴り響く。会場は大混乱となった。

弾丸は六発発射された。うち一発がフランクリンの足に着弾したものの、致命傷とはならなかった。フランクリンの隣にいたシカゴ市長アントン・サーマックの胸部にもう一発が着弾。さらに警護にあたっていた警察官らにも命中した。シカゴ市長は即座に近くのジャック・メモリアル病院へ運ばれた。病院で市長は「（致命的な）銃弾がフランクリンでなく私に当たってよかった」と言い残し亡くなったという。

狙撃犯のジュゼッペ・ザンガラは、アメリカン・ドリームを抱いたイタリア系移民の男（当時三三歳）だった。働いても生活は楽にならず、やがて体調を崩し失業。そして夢破れた元凶は大統領と決めつけた。狙撃犯は逮捕後、「個人的にフランクリンは好きです。でも大統領は好きではない」と供述した。当初の暗殺ターゲットは第三一代のハーバート・フーヴァーであったというが、大統領選で敗れたためにフランクリンに変更したのだった。つまり個人というよりも、大統領の地位を暗殺の対象にしたのだ。

フランクリンは大統領史上唯一の身体障害者であったという。現にワシントンには車いす姿の銅像が存在する。アメリカの身障者協会によって二〇〇一年に設置されたものである。フランクリンの強い要望で、脚のハンディキャップの事実を当時のマスコミはひた隠しに伏せた。したがって現職の頃、アメリカ市民のほとんどが、脚の障害を知ることはなかったという。脚の障害はマイアミで狙撃犯の放った銃弾が脚に着弾したのが原因ではなく、三九歳のときにポリオ症候群という病におかされたためであった。

フランクリンは一九四五年四月一二日のランチ前、第二次世界大戦の勝利を目前にして高血圧性脳出血で死亡した。六三歳だった。もっともこの死については暗殺ではなかったのか、といった噂がしばらく燻っていたという。

セオドアといいフランクリンといい、ルーズベルト家の二人は暗殺未遂で難を逃れたけれども、ケネディ家のジョンは遊説中のさなかに、実弟のロバート（上院議員）は大統領予備選勝利の直後に、ともに暗殺された。暗殺事件で明暗を分けた両家であった。

第三三代トルーマンの場合

ハリー・S・トルーマンは、フランクリン・ルーズベルトが脳出血で急死したため副大統領から昇格した。かつては白人至上主義団体KKK（クー・クラックス・クラン）に加入していたこともあったという。第二次大戦時、広島・長崎に原爆投下した時の大統領であった。

他の大統領と違ってトルーマンは任期中、ホワイトハウスが改築中であったために迎賓館のブレア・ハウスを使用していた。

時に一九五〇年一一月一日午後二時過ぎのことだった。二人組の男がブレア・ハウスの玄関口から押し入ろうとして警備の警察官らともみ合い、銃撃戦となった。

ちょうどその頃、大統領はブレア・ハウスの二階で昼食後、恒例の昼寝をしていたという。騒動に目を覚ました大統領がベッドから下りて窓から見下ろすと、異常な光景が目に飛び込んできた。ブレア・ハウスの前のペンシルベニア大通りは車で渋滞、しかも大勢の人びとが野次馬の如く集まっていた。

銃撃戦の結果、暗殺は未遂に終わった。二人組の暗殺スナイパーのうち一人、グリセリオ・トレソラは警察官に射殺され、もう一人、オスカル・コラゾは胸に弾丸を受けてブレア・ハウスの階段下で血を流してうつぶせに倒れた。

一方、警察官の一人、コフェルトは暗殺スナイパーに射殺され死亡、三人は膝などに弾丸を受けて重軽傷を負った。二人組は二日前に自宅のあるニューヨークを出発、大統領を暗殺するためにワシントン入りしていた。二人はプエルトリコの独立主義者であったという。

現場は恐怖と混乱、さらに噂が噂を呼んで大変な騒ぎであったらしい。「ニューヨークタイムズ」紙のポール・ケネディ記者は、「救急車やパトカーが次々とブレア・ハウス前に到着。と同時に野次馬もどんどん集まってきた。野次馬たちから、『三人の暗殺団が大統領を襲った。大統領はやられたらしい』と噂が飛び交っていた」と生々しく伝えている。

事件直後、大統領はいたって冷静を装い、集まった記者団に、「人びとがお互いを理解し、お互いに楽しんで信じることは世界の平和にとって重要である」と述べた。

第三八代フォードの場合

ジェラルド・R・フォードは二度も暗殺のターゲットにされた。フォードは前任のリ

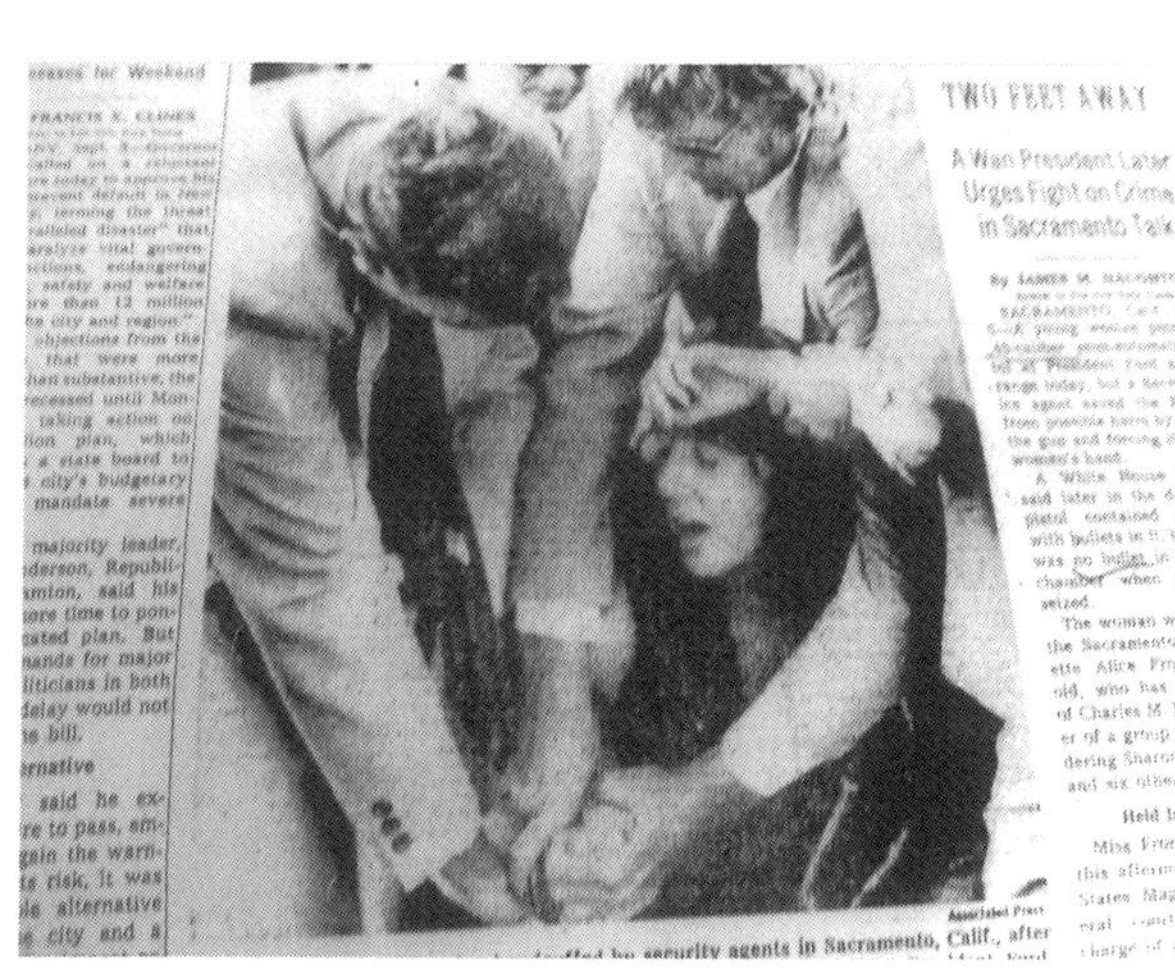

TWO FEET AWAY

A Wan President Later Urges Fight on Crime in Sacramento Talk

Held In County

フォード大統領暗殺未遂の狙撃犯の元ダンサーが掲載された当時の新聞記事

チャード・ニクソンがウォーターゲート事件で大統領を辞職したために副大統領から昇格した。大統領となって一年後、一か月足らずのうちに二回も暗殺の標的にされたのだった。しかもスナイパーは二回とも女だった。一人は元ダンサー。もう一人は左翼思想の持ち主だった。

一回目は一九七五年九月五日午前一〇時のことであった。カリフォルニア州の州都サクラメントの公園で、フォード大統領は集まった聴衆を前に、ひとくさり演説していた。

そしてフォードは聴衆に向かって「何か質問のある人はいますか」と呼び掛けた。と、赤いドレスを着た派手な若い女が挙手をした。フォードはすぐさま指をさして「どうぞ」と言うと、女はいきなり拳銃を突きつけたのだった。

拳銃は45口径の半自動式のコルト・ガバメント。とっさにそばにいたシークレットサービスのラリー・M・ブンドルフが体当たりして拳銃を奪い、女を捕らえた。

逮捕されたのはリネット・フロームという二六歳の元ダンサーだった。ところが、拳銃に弾丸は装填されていなかった。フォードを脅かすための行為であったらしい。

動機は、カルト指導者チャールズ・マンソンの影響を受けており、元ダンサーは「大統領を暗殺しないと真の環境主義者ではない」というようなことを供述していた。

ちなみにカルト指導者のマンソンを一躍有名にしたのは、一九六九年八月九日に起きた女優のシャロン・テート殺人事件である。当時彼女は妊娠八か月だった。夫は映画監督のロマン・ポランスキー。マンソンは殺人に直接手を下すことはなく、信者の女を使嗾して殺害させた。マンソンは死刑を宣告されたが、のちに終身刑となった。リネットはこのマンソンの信者であり、〝マンソン・ファミリー〟の擁護者でもあった。

なお、アメリカ大統領の暗殺または暗殺未遂の狙撃犯が女というのは、史上初のことであった。

フォードが女に狙われた二回目は、一七日後の九月二二日午後三時半ごろのことだった。大統領を一目見ようと多くの人が集まっていたサンフランシスコのダウンタウンの一角が現場であった。普段は比較的静かな街であったが、この時は野次馬が数百人以上に膨れ上がりものものしい状況であった、と当時の新聞は伝えている。

セント・フランシスコホテルからフォードが出てきたところ、銃声が鳴り響いた。と同時に何人かは腰を屈める姿勢となった。

38口径のリボルバーから発射された弾丸はターゲットから大きく外れ、道路の地面に当たって跳ね返った。そして近くにいたタクシー運転手に当たって軽傷を負わせた。

弾丸が大きく外れたのは、スナイパーの傍にいた市民が拳銃を撃つ瞬間をみて、彼女の腕を手で払ったからであった。

女はSPによってすぐ逮捕された。サラ・ジェーン・ムーアという四五歳の女だった。ジェーンは弾丸を一〇発持参していたが、さらに車の中には一〇〇発の弾丸が用意されていた。サンフランシスコのアパートで八歳になる息子と暮らす母親であるが、もう一つの顔は左翼思想の活動家であった。かつては新聞社（サンフランシスコ・イグザミナー紙）で事務員（帳簿係）をしていたという。

暗殺の理由は「革命を起こしたかった」らしい。貧富の差、人種差別等諸々の理不尽に対する怒りが、最高責任者の暗殺に向かわせたのだろうか。

フォードはSPに守られて素早くリムジンに避難したため事なきを得たが、それにしても一か月足らずに二回も暗殺のターゲットにされ、しかも女に狙われたのは極めて異例の事態だ。

なお、元ダンサーは終身刑を言い渡されたが、二〇〇九年八月一六日付ロイターは、仮出所が認められたと米司法省局の話として伝えている。

第四〇代レーガンの場合

通称〝サタデーナイトスペシャル〟と言われる、低品質かつ安価な小型拳銃がある。有名メーカー製品ではなく、〝ジャンクガン〟とも呼ばれるこれら拳銃は、土曜日の夜に若者が繁華街に出かける際、護身用に所持するようなものだった。一九六〇年代のアメリカで負傷者が続出した時期があり、それが土曜の夜に集中していたことを医師たちが「土曜の夜は大混雑だ」と揶揄したことから、こう呼ばれるようになった。

一九八一年三月三〇日、サタデーナイトスペシャルとされる回転式拳銃（ロームRG14・22LP）から発射された六発の弾丸のうち一発が、大統領ロナルド・レーガンの左胸部に直撃した。弾丸は市販の爆発銃弾（22口径ロングライフル弾）であった。弾の先端にアルミニウムのシリンダーが埋め込まれており、起爆剤のアジ化鉛が装填され威力は十分であった。

発射された銃弾は標的にダイレクトに行かず、いったん大統領専用車体に当たった。そして跳ね返り標的のレーガンに直撃したのだった。弾丸の威力が軽減されたのは運がよかったといえる。レーガンはすぐさま大統領専用車で近くのジョージワシントン大学病院に運ばれ緊急手術。弾丸は運よく心臓を外れて一命をとりとめた。

もちろん運ばかりではなく、レーガンの強靭な体のせいもあったかもしれぬ。なにしろレーガンは元俳優で西部の強い男を演じたことがあり、演技上とはいえ不死身であったからだ、とシニカルに伝えたマスコミもあった。

この暗殺未遂事件はレーガンのほかに大統領報道官、ワシントンDC首都警察官、シークレットサービスらも負傷した。いずれも弾丸は急所を外れたために命に別状はなかったが、大統領報道官のブレディだけは頭部に被弾したために障害が残ったという。後に亡くなったが、この時の傷が原因だともいわれている。

狙撃犯のジョン・ヒンクリーは、女優ジョディ・フォスターの熱烈なるファンであった。それがなぜ大統領を狙うようになったのか。

きっかけは、テキサス工科大学の学生であった頃に観たフォスターの出演した映画『タクシードライバー』であった。フォスターの役は一二歳前後の娼婦。狙撃犯はすぐに熱中した。以来ファンレターを出し続けたが、返事は一向にない。「これほど熱心に手紙を出し続けても無視か」と、いつしかストーカー的な行為に走っていった。フォスターがイェール大学に入学するや、ヒンクリーも大学のあるコネチカット州ニューヘイブンに引っ越す有り様であった。

熱狂的ファンがストーカーと化していくのは決して珍しくないが、「大きなことをすれば、無視を続けていたフォスターが自分を知ってくれるかもしれない」と、二五歳のヒンクリーは考えた。そして出した結論は、大統領を殺すことであった。つまりフォスターの気を惹くための暗殺未遂だったのである。結果、目標通りヒンクリーは全米各地のみならず、世界中に名前と顔を知られることになった。

レーガンに大統領にしてみれば「お門違いだ！」と言いたかっただろうし、フォスターにしても「いい迷惑だ！」という話だろう。

要するにアメリカ大統領の職は、あらゆる角度から暗殺の対象になり得る、ということだ。

なお、ヒンクリーがこの時使用した市販用の爆発銃弾は、この暗殺未遂事件以降、現在まで市販されていないという。

オカルト好きなアメリカ人

アメリカの歴代大統領で暗殺事件に巻き込まれた人物を、既遂・未遂ともに見てきた。狙撃者にはそれぞれ、必ずしも政治的理由でない場合も含め動機があり、事に及んでいる。しかし、そういった個別の事情とは別に、大きな流れのようなものも背景にあると信じる向きが、彼の国には存在する。

私がアメリカ放浪中に感じたことは、アメリカ人は意外と超常現象や占い、あるいは呪いに強い関心を持っている、ということである。科学の分野では世界をリードし、プラグマティズムを標榜するアメリカ人である。しかし一方で、非科学的なことを信じている人は多い。映画館に入ってもこの種の作品はいつも人気が高かったし、私の仲間たちもこぞってお化けや幽霊を信じていたものだった。

したがってサラ・ウィンチェスター夫人が非科学的な「霊」を信じ、そのスピリチュアルなパワーに権力者が接近していたのも頷けるというものである。

さて、アメリカの「呪い」といえば、有名なものは「バンビーノの呪い」であろう。大リーグ好きは誰でも知っているはずだ。バンビーノとは伝説的なメジャーリーガー、ベーブ・ルースのこと。レッドソックスからヤンキースへトレードされて以来、レッドソックスは呪われたのか八六年間もワールドチャンピオンになれなかったのである。二〇〇四年にようやくチャンピオンとなり、「呪いは解かれた」と騒がれたものだった。

そしてもう一つ、大統領に関する呪いがある。それがプロローグで少し触れた「テカムセの呪い」といわれるものである。日本人にはあまり聞きなれないものであるが、アメリカでは多くの人が知る「呪い」なのである。

インディアンのリーダー、テカムセ

テカムセとはインディアンのショーニー族のリーダーの名前のこと。日本ではテクムセあるいはテカムシとも表記されているが、ここではテカムセを採用する。

テカムセは、インディアン掃討を目論む白人に対して果敢に抵抗したインディアンの英雄といわれる。現在のオハイオ州南西部でキスポコサ族の酋長の息子として生まれたが、六歳の時に父が白人に殺された。白人たちは布や銃などの物品と引き換えにインディアンの土地を購入し領土を拡大していったが、これに伴い多くのインディアンが犠牲となった。つまり虐殺されたのだった。

テカムセは弁が立つし頭もよく英語も話せたようで、父の死後、兄チクシカや弟テンスクワタワらと手を携えて部族のリーダー的な役割を担っていた。

そもそも北米大陸にインディアンは五〇〇部族いるといわれているが、それぞれ部族によって自由な社会が形成されており、横のつながりはなかった。これこそがインディアン社会の特色であり、したがって他部族への侵略をしないのが暗黙のルールであった。

しかしこのような単部族では白人たちに抵抗しても勝てるわけがない。各部族間の垣根を取っ払い団結しなければ、いずれ白人たちに領土を奪われてしまう。インディアンの統一をしなければ、とテカムセは考えた。インディアンの独立国家を夢見ていたのであった。

ショーニー族はアルゴンキン系語族に属する部族として、少数派であったものの好戦的な一面を持っていた。理不尽な行為に対しては果敢に攻める姿勢であったという。理由はショーニー族に伝わる宗教的な信仰に基づくものと思われている。モネートと呼ばれる神はショーニー族の心の支えであった。良きことをする人には恵みが与えられ、悪に値する行為はブーメランとなって罰を受ける、と考えられていたのだ。

インディアンの土地を遮二無二奪っていく白人を、テカムセは許すことができなかったのだろう。むろん父の仇といった感情も強く後押しをした。テカムセは大陸各地のインディアンの部族に赴き「手を組んで一緒に白人と戦おう」と団結を呼びかけて説得を続けた。

だが、オール・インディアンの実現は現実的に難しかった。それでもテカムセ一族に同調する人々が集まってきた。そして現在のデラウェア州の地、ティペカヌウに主都をつくったのであった。

のちに第九代アメリカ大統領となる将軍のハリソンが、テカムセと会談をもったのが一八〇八年のこと。交渉の内容はもちろん土地の売買であったが、決裂した。以後、毎年ハリソンは粘り強くテカムセと交渉を重ねたものの、合意することはなかった。ハリソンはテカムセとの交渉を断念して別な部族のリーダーと新たに交渉に移った。

その結果、交渉は成立。アメリカ側はインディアンから二五〇万エーカー（一エーカーは約一〇〇〇坪）という広大な土地を買い上げたのだった。ちなみにこの広さは、大雑把にいえば日本の三倍、テキサス州の二倍弱にあたる広さである。

徹底抗戦、そして死

テカムセはこの売買契約の無効を訴えた。なぜならインディアンの土地は古来より皆の共有物であり、皆の合意なしに一部の人間との売買契約は断じて許せないと主張したからだ。結果、両者譲ることはなく物別れとなった。白人たちはショーニー族を居住範囲から追放しようと試みた。嫌がらせである。むろんテカムセら一族は反発した。

難局を打開するには武力行使しかない、とアメリカ側のハリソン将軍は考えた。つまり銃の登場だ。しかもインディアン側のリーダー、テカムセの不在時を狙って主都を急襲し、あっけなく全滅させた。テカムセの無念さと憎悪はいかばかりであっただろうか。アメリカ側はさらに領土の拡大を目指す。

大陸をめぐる利権争いからアメリカはイギリスと対立、争いが勃発した。いわゆる米英戦争（一八一二年六月～一八一五年二月）である。テカムセはイギリス側につき、共にアメリカ軍と戦った。

当初はイギリス軍が戦いを有利にすすめていた。アメリカ大統領の住まいである公邸は焼き討ちに遭い、外壁を残して崩壊した。のちに再建された際、黒く焼けた外壁をペンキで白く塗装し、以降この公邸はホワイトハウスと呼ばれるようになった。

さて英米戦争はアメリカ軍が当初劣勢であったが盛り返し、ついにイギリス軍は白旗を挙げた。しかしテカムセは降伏せずに敢然と戦った。しかし、アメリカ軍の大量の武器（銃）に対して勝ち目などなく、テカムセは戦場となったカナダのオンタリオ、テムズ川の戦（いくさ）で散った。一八一三年一〇月五日のことであった。

テカムセの死体は戦利品として切り刻まれ、皮膚をはがされたという話も伝わっている。

テカムセの死後、ショーニー族のたどった運命はきわめて過酷なものだったという。

テカムセの兄、チクシカの言葉が残されている。一部を抜粋してみよう。

「白人が公正な戦いでインディアンを殺すと誉れ高いといわれるが、インディアンが公正な戦いで白人を殺すと殺人といわれる。白人の軍隊がインディアンと戦って勝つと偉大な勝利といわれるが、負けてしまうと大虐殺といわれる。（略）インディアンが一人殺されると、それは大きな喪失であり、われら部族の中にぽっかり穴があき、われわれの心に悲しみがもたらされる。（略）白人という人種はいつも飢えている化け物であり、食べるのは土地ばかりだ」（『テカムセの悲しみの人生』アレン・W・エチャット著、BANTAMBOOKS）

ちなみに現在オクラホマ州には二つの都市が存在している。テカムセ市とショーニー市である。かれらネイティブアメリカンを称えて今に伝えているのだろう。

二〇年周期にやってくる「呪い」

こうしたテカムセの無念さが、後に呪いとなったのだろうと見られている。前述したサラ・ウィンチェスターもインディアンの呪いを恐れたが、テカムセの呪いも似たようなものであろうか。

ただしテカムセの呪いは二〇年間ごとにやってくるといわれる。しかも大統領がターゲットにされるのが特色なのである。

テカムセの呪いが言われるようになったのは、一八四〇年から一九六〇年の間、大統領が在職中に死んでいるケースが多いからだという。以下に列挙してみる。

一八四〇年代（同年四月四日）：第九代ウィリアム・ハリソンは肺炎で死去（享年六八）。テカムセと土地の売買で何度も交渉を重ねた人物で、米英戦争やインディアンの掃討で母国に広大な土地をもたらし、それらの功績が認められて大統領に上りつめた。だが大統領になってたったの三一日間で病に倒れた。大統領史上最も短命な大統領だった。「テカムセの呪い」のきっかけとなった人物。

一八六〇年代（一八六五年四月一五日）：第一六代エイブラハム・リンカーンが暗殺される（享年五六）。

一八八〇年代（一八八一年七月二日）：第二〇代ジェームズ・ガーフィールドが暗殺される（享年五〇）。ハリソンに次いで一九九日間の短命な大統領であった。

一九〇〇年代（一九〇一年九月一四日）：第二五代ウィリアム・マッキンリーが暗殺される（享年五八）。

一九二〇年代（一九二三年八月二日）：第二九代ウォーレン・ハーディングが心臓発作で死去（享年五七）。在職中の死去は六人目であった。

一九四〇年代（一九四五年四月一二日）：第三二代フランクリン・ルーズベルトが脳出血で死去（享年六三）。

一九六〇年代（一九六三年一一月二二日）：第三五代ジョン・F・ケネディが暗殺される（享年四六）。

一九八〇年代（一九八一年三月三〇日）：第四〇代ロナルド・レーガン、暗殺未遂事件。退任後二〇〇四年に死去（享年九四）。歴代二番目の高齢大統領で、レーガンをもって「呪いは解かれた」といわれた。

きっかり二〇年ごとというわけではなく、あくまで二〇年代ごとにということである。レーガン就任時、法則に当てはまることからテカムセの呪いにかかるのではあるまいかといわれ、いくつかのキリスト教団体は真剣に対策を練ったという。対策といっても、ひたすら大統領の無事を祈願することだったが、この祈願のおかげだろうか、暗殺者の放った銃弾がレーガンの胸に着弾したけれども奇跡的に助かった。この強運と長寿をもって、「テカムセの呪いは解かれた」といわれたのだった。事実、二〇〇〇年代の大統領（クリントン～子ブッシュ～オバマ）は在任中、生命を脅かすような事件には見舞われていない。

トランプはどうなる？

しかし二〇二〇年の今年は、再びテカムセの呪いの周期に突入する。奔放で型破りなトランプ大統領は果たして大丈夫だろうか——。

七月現在、コロナ禍が収束する気配さえ見えず、それどころか感染者数は依然として増加の一途である。かような状況下でアメリカ大統領選挙が盛り上がりに欠けるのも仕方のないことかもしれない。民主党は前副大統領のバイデンが候補に決まったが、オバマが勝ち上がったときのような盛り上がりに欠け、民主vs共和の一騎打ちの構図とはほど遠く、市民は無関心なのである。

とはいうものの気になる点はやはり、繰り返すけれど二〇年ごとにやってくる〝呪い〟だ。ついにというべきか、ホワイトハウスのスタッフがコロナに感染したというニュースが飛び込んできたから穏やかではない。CNNニュースによるとこのスタッフは、大統領への飲食手配の担当だという。しかも続いて女性報道官ケイティ・ミラーの感染も判明した。ホワイトハウスにクラスター（集団感染）発生かと緊張が走ったのも当然である。この報道官と接触したペンス副大統領は感染防止のために隔離された、と伝えられた。五月一〇日のことだった。

トランプ大統領は相変わらずマスクをつけることなどせずに強気な姿勢を崩していない。しかし毎日コロナ検査を行っているという。

コロナ禍の牙がいついかなる状況で〝呪い〟に変換されるとも限らない。それは感染といった直接的なこと以外に、長引く経済活動の停滞で国内情勢が不安定化し、思わぬ事態を生じさせる可能性も含めて、だ。現にアメリカの失業率は戦後最悪の水準に達しており、大多数の国民は窮状にあえいでいる。

さらに五月下旬に発生した、白人警察官が黒人男性を抑えつけて殺害した事件で、人種差別への怒りが全米各地でデモとなって噴出している。アメリカではこれまでも繰り返されてきた光景だが、今回のデモが、トランプ政権発足以降深まり続けてきた国民の分断も背景としていることは確実である。トランプはデモ隊に対し軍事力を行使しての制圧も辞さない構えだが、一つ対応を誤れば、アメリカは無秩序状態に陥る可能性も否定できない。

かように、不安要素には事欠かない現在のトランプ政権にあって、大統領やその周辺の脳裏に「テカムセの呪い」がちらついているとしても、それは不思議ではない。

第5章　文豪ヘミングウェイと銃

アメリカを体現した文豪

アメリカは「ピルグリム・ファーザーズ」たちの入植以来、銃と共に歴史を刻んできた。この歴史を体現するアメリカ人として次に取り上げたいのは、ノーベル賞作家のアーネスト・ヘミングウェイである。この文学界の巨星も、銃をこよなく愛し、銃と運命をともにした人生を送った。

アーネスト・ミラー・ヘミングウェイは一八九九年七月二一日、医師の父エドモンドと声楽家だった母グレイスの子として、イリノイ州シカゴ郊外のオーク・パークで生まれた。教会が多く気品のある静かな町であった。

ハイスクール卒業後、叔父の伝手で「カンザスシティスター」紙の見習い記者となっ

アーネスト・ヘミングウェイ

た。その後、第一次世界大戦の欧州戦線に赴き、オーストリア軍機銃掃射によって脚に重症を負いミラノ陸軍病院に三か月間入院した。復員後の二一歳の時、父の伝手で「トロント・デイリー・スター」紙に入社。読み物記事を担当する。やがて才能が開花してトップ記者へとなっていく一方で、小説も書くようになった。

一九二六年二七歳の時、デビュー作ともいうべき『日はまた昇る』を出版し注目される。以後、『武器よさらば』『誰がために鐘は鳴る』『老人と海』等ヒット作を生み出し、かつ映画化されると世界的な流行作家となった。そしてピューリッツァー賞、ノーベル文学賞を受賞。まさに文豪の名声を欲しいままにした人物である。

一方プライベートでは、二二歳で結婚して以来離婚結婚を繰り返した。落ち着いたのは四人目の妻、メアリーとの結婚だった。一九四六年のこと、時にヘミングウェイ四七歳であった。

私がヘミングウェイに夢中になったのは、『誰がために鐘は鳴る』の映画を観て以来である。スペイン内戦を背景にした男と女の愛の物語。橋梁の爆破で負傷した主人公（ゲイリー・クーパー演）が恋人（イングリッド・バーグマン演）に「私は君の中に生きている。行け！」と言って主人公は死を迎える。恋人は馬に乗って生きる道を選ぶ。誰もが胸を打たれたラストシーンだった。

ヘミングウェイはこの作品を、実際にスペイン内戦に人民戦線政府側で従軍記者として参加し書き上げた。この彼のスタイルは行動派の作家としてその名を知らしめ、登場人物のキャラクターにも大いに影響した。

アフリカのサファリ旅行

ヘミングウェイの四番目の妻メアリーの、夫を一言で表現する言葉が残されている。

「パパはいつも銃を持っていた」

ヘミングウェイのヘミングウェイたる人間を称した言葉であった。ここで言う「パパ」はヘミングウェイの愛称であるが、家族間の一般的な呼び名を超えて、そのいかにもアメリカ人的な彼の生き様を総称して「パパ・ヘミングウェイ」と呼ばれる。

〝銃を持っていた〟とは、ある種象徴的な表現ともとれるが、メアリーにとっては、もっと即物的な日常の風景だった。銃のクリーニングをするのが、〝パパ〟のルーティンであったからだ。

「特にショットガンの掃除は毎日しなければならない。ガンオイルを十分吹きかけ丁寧に掃除せねばならぬ。但し、オイルは木にかけてはならぬ。木にオイルが沁みるとヒビが入りやすくなるからだ」

幼き頃より父のエドモンドから教えられたことを守り、ヘミングウェイは銃を愛し続けた。

ヘミングウェイは畢竟、三つの姿に集約されると私は思っている。

一つ目は、創作活動をしている時の姿である。部屋に閉じこもりひたすらタイプをたたく。あるいは沈思黙考する姿だ。この空間には最愛の妻であろうと何人(なんぴと)も入ることはできない。ヘミングウェイのみが存在する。いや、黒(愛犬、スプリンガー・スパニエル犬)は入室を許されていたかもしれぬ。

二つ目は、グラスを持ちお好みのフローズンダイキリかモヒートを飲みながら仲間たちとワイワイ談笑する姿である。賑やかなところが好きで、酒は独酌というのはあまり好まなかったようだ。ちなみにダイキリとはラム酒にライムの果汁と砂糖を混ぜたカクテルのこと。

そして妻のメアリーには、三つ目の姿こそ夫に最もふさわしい姿だという。それが銃を持つ夫だ。二連式の愛用ショットガンを右手に、拳銃は腰に携帯するヘミングウェイ。妻にとっては、日々銃のクリーニングに余念のない姿はもちろん、やはりアフリカのサファリの旅を一緒に体験したことが大きい。

夫婦にとってこの旅は心に深く刻み込まれた、いわば運命の旅だった。なぜなら二人が搭乗したセスナ機が事故に遭い、九死に一生を得たからだ。ヘミングウェイ五三歳の時であった。

当時の新聞の一報は「ヘミングウェイ墜落死」であった。ドイツの某新聞記事はその具体性でヘミングウェイを感心させる内容だった。「ヘミングウェイの乗ったセスナ機180号は、〝神の家〟といわれるアフリカ最高峰の山、キリマンジャロの頂上に着陸しようとして失敗、墜落死した」と報じた。目的は頂上にあるヒョウの死骸を見るためだと記事は伝えた。ヘミングウェイの作品『キリマンジャロの雪』の冒頭シーンを念頭に置いて記者が想像たくましく書いたからだった。冒頭シーンの一部を抜粋してみる。

「(略)雪におおわれた山で、アフリカ第一の高峰だといわれる。その西の頂はマサイ語で〝神の家〟と呼ばれ、その山頂のすぐそばには、ひからびて凍りついた一頭の豹の屍

が横たわっている。(略)その豹が何を求めて来たのか、今まで誰も説明したものがいない」(龍口直太郎訳、角川文庫)

むろんヘミングウェイ自身も述べているが、セスナ機でキリマンジャロの頂上に行くことはできない。記者は飛行知識のない人間と断罪しているものの、自身の小説を念頭に置いた記事にまんざらではない、といった感想であった。ゆえにヘミングウェイはこの誤報記事を切り抜き帳に張りつけ、ことあるごとに読んでいたらしい。これに対して妻のメアリーはこう言った。

「あなた、そんなに死亡記事ばかりお読みにならない方がいいと思うわ。大体自分の死亡記事を読むなんて病的よ。とにかく私たち死んでいないんだから」(ヘミングウェイのルポ「死のアフリカ・密林脱出!」大竹貞雄訳、『文藝春秋』一九五四年六月号からの抜粋)

この妻の発言を受けたヘミングウェイは次のように応えている。

「まったくその通りだ。だけどこれがもう癖になり始めているんだよ」(同ルポより抜粋)

それほど自身の死亡記事がお気に入りであったのか。ちなみにこの死亡記事の切り抜き帳は二冊あった。一冊は縞馬の皮で、もう一冊はライオンの皮で装丁したもの。もちろん縞馬もライオンも、愛用の二連式ショットガンでヘミングウェイが撃ち斃したものだった。

ヘミングウェイはキリマンジャロの頂上を目指したわけではなく、実際はナイロビ・ウエスト飛行場からセスナ機に乗って北に向かっていたのである。キビ湖付近で一泊。翌朝セスナ機は進路を北にとりゴリラ禁猟区の上空を飛んだ。当時の模様を前出のルポより抜粋する。

「(略)マーチソン滝から離れたとき大きな鳥の大編隊に逢った。私はこれを朱鷺と判定した。(略)鳥群はわれわれの頭上をかすめて飛んでいく。この時だ。セスナ機は止む無く予定の進路からずれたので、廃線になっている電信線にぶつかってしまった。(略)電線にぶつかったのは機のプロペラと尾部だ。機は一時制御不能に陥り(略)約四〇マイルの速度で着陸できた。強行不時着につきものの金属の裂ける音がした」

墜落事故というより不時着であった。この衝撃で妻のメアリーは、ろっ骨を二本骨折したという。が、命に別状はなく夫婦ともども助かった。

だがその後、この不時着事故が大袈裟に伝えられて墜落事故となったのである。しかも二回も。もう一回の事故も墜落ではなく、離陸直前の滑走中に起きたエンジントラブルによる炎上事故であった。もっとも機内から脱出できたのは奇跡ともいわれた。

不死身の英雄の最期

かように事故にも遭遇するも不死身であったヘミングウェイだったが、晩年は体調がすぐれず、また作品も思うようには創作できなかった。これまで数々の作品をヒットさせ映画化され、そしてピューリッツァー賞、ノーベル文学賞受賞の輝かしい業績を残したアメリカの文豪は、ついに愛する銃で自ら人生を終結させた。

一九六一年七月三日（月）の「ニューヨークタイムズ」紙は、一面トップでアーネスト・ヘミングウェイの死を報じている。見出しは「ショットガンによる死」であった。自殺の文字はなかった。なぜなら妻のメアリーが自殺を強く否定し、「銃の掃除中のアクシデント」と警察に供述したからであった。

とはいえ世間では「自殺」という見方であった。銃の扱いは五〇年以上というベテランが、クリーニング中に暴発事故など考えられない。なによりヘミングウェイは亡くなる一年前、つまり六一歳の誕生日を迎える頃より被害妄想や記憶力の低下が目立ち、鬱状態であった。

このとき、彼は偽名を使って聖マリア病院に入院したりしている。偽名はかかりつけの医師（ジョージ・セイヴィアーズ）の名前を使った。騒がれたくなかったのだろう。ヘミングウェイは三一歳の時に自動車事故（モンタナ州）で九死に一生を得て助かり、二度の飛行機事故でも救われ、「不死身の英雄」のイメージであった。したがって弱みを晒すのをよしとしなかったのかもしれない。

ヘミングウェイの病状はよくならなかった。結果、入退院を繰り返すようになり、その間、自殺未遂が二回あった。一回は銃によるもの。もう一回は飛行機の回転するプロペラに飛び込もうとしたことだった。

二か月ぶりに退院したヘミングウェイがアイダホ州ケチャムの山荘に到着したのは一九六一年六月三〇日のことだった。谷川を望むベランダ下に車庫があり、その横の狭い石段を上る先が玄関になっている。がっちりとした青銅の扉。頭上の軒先にはシカの角が掲げられていた。西北の方角にソートゥース山脈が連なって見える。庭にはモミの木や草花が生い茂っていた。

この地に引っ越してきたのは前年の一九六〇年春のことだった。住み慣れたサンフランシスコから三二個の荷物をもってこの閑静な山荘に移転した理由は、妻メアリーの強い願いからであった。少しでも夫の体調が回復すれば、という静養の意味合いであったのだろう。けれどもヘミングウェイの体調はよくならず、二〇七ポンド（約九四キロ）あった体重は一五五ポンド（約七〇キロ）にまで激減していたのである。

最後の晩餐は馴染みのレストラン「クリスティアニア・イン」で妻メアリー、友人の運転手ジョージ・ブラウンと三人で夕食をとった。この時のヘミングウェイは食欲もなく弱々しく見えた、と店員の証言がある。

再び山荘に戻り、ヘミングウェイは青いパジャマを着てベッドへ。

そして翌朝、一発の銃声で目を覚ました妻のメアリーは、すぐさま階段を駆け下りた。すると、ヘミングウェイは口と頬の一部を残して鮮血にまみれて絶命していた。遺体のそばに愛用していた銀の象嵌の12口径二連式リチャードソン・ショットガンが横たわっていた。

後年、遺書が発見され、自殺と断定された。

ヘミングウェイの埋葬式は七月六日午前一〇時半から行われた。場所は山荘からほど近いエリアだった。原生林が続き渓流では鱒が釣れ、北側の丘は緩やかな傾斜地になっていた。そこが墓地の区域であり、一区画二五ドルを六区画もヘミングウェイは生前に購入していた。

妻のメアリーはつばの広い黒の帽子に黒のドレス姿。息子や娘たち兄弟等親類縁者が一団をつくっていた。棺の付添人や友人たち。報道関係者たち。さらに周辺には物見高い見物客がとり囲むように大勢つめかけていた。

二人の僧を従えたロバート・J・ワイルドマン神父はラテン語の埋葬祈祷を始めた。そして次に英語で『伝道之書』第一章の第三、四、五節を厳かに読み上げた。メアリー夫人は十字を切って跪く。子供たちも同様の仕草をした。

「天が下におけるもろもろの仕事に、何の益かあらん。世は去り世は来る。地は永久にたもつなり」

神父はそれから、ヘミングウェイの作品『日はまた昇る』の一節を続けた。棺の上には白い花の大きな十字架がおかれた。やがて棺の上に青銅の盾が載せられ墓の中に降ろされた。神父は、「我らの父よ、あなたの僕(しもべ)なるアーネストを赦し給わんことを」と述べ、葬儀は粛々と行われた。そして棺に土がかけられた。

埋葬されたヘミングウェイの隣の墓地には友人が眠っていた。この友人が二年前に亡くなった際、棺の付添人を務めたのがヘミングウェイであった。それだけヘミングウェイにとっては重要な人物といえた。

これで思い出すのは伊能忠敬である。江戸時代に測量を行い日本地図を作成した人物だ。伊能の墓は東京・上野の源空寺にある。もともと千葉の人だが、生前より亡くなったら敬愛する師・高橋至時(よしとき)の墓の隣にと願望していた。師は江戸時代の天文学者。伊能より年下であるが、弟子入りして測量に活かすべく天文学を学んだのである。

また芥川賞作家の西村賢太氏も、敬愛する私小説作家、藤澤清造の墓地の隣に生前墓を建てているのは有名な話だ。

翻ってヘミングウェイの場合はどうであろうか。隣の墓の人物はテーラー・ウィリアムズといった。ヘミングウェイとテーラーの関係とは、仕事関係か、それとも飲み友達か、あるいは戦友のような関係だったのか……。

実は銃が関係していたのだ。テーラーは人に猟銃の扱い方や撃ち方を教える「銃の名人」であった。ヘミングウェイとは長年の猟の仲間だったのである。恐らくヘミングウェイはテーラーに、幼き頃に尊敬していた同じく「銃の名人」であった父の姿を重ねていたのかもしれぬ。

それだけヘミングウェイにとって、銃は人生の重要な要素だった。

父と母の確執

ヘミングウェイは銃との関りが早かった。医師である父のエドモンドはウィンチェスター銃の愛好者で猟を趣味としていたから、ヘミングウェイは幼き頃より父が銃を手入れしている姿や狩猟する姿を見ていた。ヘミングウェイは少年時代、「イリノイ州で一番の銃の使い手、銃の名人だ」と父を自慢し周りに吹聴していたらしい。やがてヘミングウェイ自身も「父のように銃の名人になりたい」と願っていたようなのだ。

ちなみに祖父も銃の名人として知られており、南北戦争に四年間参加。非正規の騎兵に銃の指導を行っていたらしい。だからだろうか、父はヘミングウェイの望みをくみ取った。一〇歳の誕生日を迎えると、プレゼントになんと銃を与えたのだった。ヘミングウェイ家の「三代目の銃の名人」を願っての贈り物であったのだろうか。もちろん玩具ではなく本物だ。

当然のことながら誕生日プレゼントに銃なんて、と母のグレイスは賛成ではなかった。そもそも母のグレイスは女子を望んでいたし、現にヘミングウェイを四歳になるまで女子のように育てていた。ヘアスタイルはもちろんのこと衣服も女物ばかりを着せていたのだった。それればかりか、将来はミュージシャンに育てようとヘミングウェイにチェロを習わせていた。元声楽家の母は勝気な性格で厳しい人。教え方もハードであったと思われる。時たま家に人を招き音楽会を開く社交家ぶりであった。これに対して父は猟や釣りが趣味。性格は正反対であった。

したがって子供の育て方をはじめ二人はことごとく意見がぶつかりあっていたが、最後は父の方が折れて母の意見に従う格好であったという。

　こんな母の強権に耐えかねたのか、ヘミングウェイは次第に父寄りになっていく。女物の衣服を脱ぎ捨て男子の服を着るようになり、チェロの練習をスッパリとやめて父の猟に同行するようになった。

　面白くないのは母であった。父が猟銃の手入れをしているとバイブルを引用して「銃ばかりにご執心か」と父を咎めたり、さらにヘミングウェイにも何かと辛くあたった。

とはいうものの、毎年夏になると一家そろってミシガン州の湖畔に避暑に行くのが恒例であった。周辺にはインディアンの集落があり、ヘミングウェイはインディアンの子らと遊んだという。インディアンの妊婦が難産の際、父は医師として帝王切開の手術をして無事に子供が生まれたこともあった。

　しかし、おおむね父と母は対立していたようだ。象徴的なエピソードがある。

ある日、母は父が大事にしていた祖父の遺品を地下の倉庫に放り投げてしまった。放り投げただけではなく、後に火中に入れてしまったのである。遺品とはインディアンからの戦利品。矢じり、矢を入れる筒、インディアンが使った頭の皮をはぐ石のナイフなどだった。

　これを知った父は、「一番いい矢じりが、みな割れちまった」と嘆き悲しんだ。怒るでもなく抗議するでもなく、ただ悲しみに浸るのである。この光景を目の当たりにした少年時代のヘミングウェイの胸中に湧き上がった感情は、いかばかりであったろうか。

ヘミングウェイは大人になると、さらに母に対して嫌悪を超えて憎悪するようになっていく。なぜ憎悪なのかについては後述する。

堂に入った「銃の名人」

父と猟に出かけるたびに、ヘミングウェイは手取り足取り銃の扱い方や作法、さらに動物の仕留め方を学んでいった。銃のクリーニングがいかに大切であるかという基本から、たとえば「放たれた弾丸は秒速七五〇フィート、エネルギーは六二フィート・バウンド」といった専門的な弾道学まで教授された。「銃の名人」の父の背中を追いかけ、強い男を目指したのであった。狩猟を通して銃のすごさ、銃がもたらす生と死をヘミングウェイは身をもって知った。

作家となる前のジャーナリスト時代、ヘミングウェイは戦場に赴き、戦争の現状を目の当たりにし、つぶさに観察した。死体があちこちに転がる様、銃弾が飛び交う緊張の現場をヘミングウェイは書き続けた。当然のことながら流れ弾に当たっても不思議ではない。

私自身は戦場記者の経験はないのだが、先輩記者たちからいくどか話を聞いたことがある。

「ああ、今日も一日無事だった」と実感して感謝しながら床に就く、とベトナム戦争の特派員であったY氏が言う。Y氏は決して危険を冒さなかった。やはりジャーナリスト以前に人間であり、命は惜しいのである。

同じくベトナム戦争を取材したカメラマンのT氏は、踏み込み過ぎてか敵軍につかまり、殺されてしまった。

朝鮮戦争の国連軍記者をやっていたY新聞社のK氏も、多くの死体を見るにつけ感覚がマヒすると同時に、いつ流れ弾に当たっても仕方がないといったある種の諦念が働いた、と告白した。とはいえこのK氏、生まれ変わったらまた同じ仕事に就きたいと言う。あのスリリングな時間が忘れられない、生きている実感を肌で感じた、と言うのだ。現在は定年となりやることもなく「ついでに生きているから、あのピリピリとした緊迫感は忘れられない」と苦笑するのであった。

翻ってヘミングウェイは戦場記者時代、どうであったのか。銃殺された動物の死は子供の頃からたくさん見てきたけれど、虫けらの如く人間が殺され、死と隣り合わせなのが日常的な戦場の世界。生と死を隔てるものとして「銃」が厳然と存在する。彼はこの世界で、ある種の死生観のようなものを体感したといっていい。だからこそあの作品を生み出したのだろう。『キリマンジャロの雪』である。迫りくる死を迎えて回想する主人公の心理を見事に描いた名作だ。やはり戦場体験があったからこそであろう。

もっともこんな話も漏れ聞こえてくるのが、ヘミングウェイたる人物だ。

「戦地では銃弾が飛び交う場所でみんなが逃げ出しても、彼は平気でメシを食ってた」

常にマイペースで自分の世界を持っていたヘミングウェイである。なにしろ恋愛をする余裕さえあった。相手は従軍看護師。この看護師との恋愛をベースに作品を生み出したのが、かの名作『誰がために鐘は鳴る』である。さすがというべきである。

ヘミングウェイには一六歳下の弟、レスターがいる。新聞記者から作家となるコースは兄のアーネストと同じである。『トランペットの音』や『兄へミングウェイ』等の作品がある。

このレスターの言葉が残っている。銃に関するエピソードだ。

「或る時、裏庭で兄は4ゲージ口径銃身の約三〇センチあまりの大型ピストルの銃口を上に向けた。ぶわーんという細い火の線が空中に弧を描いた」

この時ヘミングウェイは、「どうだ」と言わんばかりに胸を張っていたらしい。この拳銃は照明弾用ピストルでオーストリア軍の戦利品とレスターに話していた。ジャーナリストが戦利品を持ち帰るとは不届きな、と私は思うのだが、銃に目のないヘミングウェイは、どうしても照明弾用ピストルが欲しかったのだろう。弟や妹に見せびらかしたかったのかもしれない。あるいは脚をオーストリア軍の機銃掃射で負傷させられた恨みで、〝戦利品〟を持ち帰ったのかもしれない。

それにしても一〇歳で自分の銃を持つほどのヘミングウェイ、銃の腕前は名人クラスであったらしい。こんなエピソードがある。ヘミングウェイが五七歳の時だ。

「イタリア人の運転手が強風のなかで紙巻タバコを手にかざし持っていたときのことだ。わたしはその火のついた先を22口径のライフルで撃ち落とした」(『危険な夏』諸岡敏行訳、草思社)

この場面を目撃していたのがスペインの人気マタドール(闘牛士)、アントニオ・オルドニュスであった。アントニオはまるで映画のようなヘミングウェイの銃さばきに度肝を抜かされたという。

豪傑の光と影

ヘミングウェイは毎日一リットル近いウイスキーを飲み干すほどの酒好きだった。加えて離婚結婚を繰り返し、女性関係も派手というイメージが強い。そして次々と名作を世に送り出す、エネルギーの塊のような人物である。しかも二度の飛行機事故に遭遇するも助かった強運の持ち主。仕事、遊び、酒、女……どれも一生懸命というイメージだ。

一方で晩年は精神的にも肉体的にもボロボロであった。糖尿病、高血圧、炭疽病、うつ病……。最後の作品（闘牛ルポルタージュ『危険な夏』）はまとめ上げることがなかなかできず、なんとか友人の脚本家A・E・ホッチナーの助けをかりて完成させた。

入院中にかつての友人、マレーネ・ディートリッヒからお見舞いの電話をもらい、「ほんとうに喜んでいた」と弟のレスターが語っている。ディートリッヒは見事な曲線美で世の男性を虜にした伝説的な大女優である。忍び寄る死を前にしたヘミングウェイにとって、せめてもの救いの電話であっただろう。

ヘミングウェイは愛用の銃で人生の幕を下ろしたが、実は彼の家系は自殺者が多い。まず父のエドモンドも拳銃自殺していた。さらに弟のレスターも22口径の拳銃で自殺（一九八二年）。加えて妹のアーシュラ（一九六六年）や姉のマーセリンも、である。六人兄弟のうち四人が自殺、父のエドモンドを加えると五人を数える。

その上、孫の女優マーゴも、祖父ヘミングウェイの死から三五年目の命日（一九九六年七月一一日）を選んで命を絶っていた。マーゴは二〇歳の時、一四歳上のハンバーガー王とパリで結婚。巨万の富を築いた青年実業家との結婚は日本でも話題になった。だが、その後離婚結婚を繰り返す。四〇代半ばでアルコール依存症に陥り、結果自ら命を絶ったのである。

これらヘミングウェイ一家の〝呪い〟の源流は、少なからず父と母の確執にあったであろう。とりわけヘミングウェイにとって父の自殺は、母への嫌悪を憎悪にまで昂らせる出来事となった。

「銃の名人」である父エドモンドは晩年、糖尿病に悩み苦しみ、治療すれどなかなか良くならなかった。やがて心身ともに疲れ果て回転式拳銃で自殺した。ヘミングウェイが二七歳の時であった。自殺の原因は病気だけでなく、母から受けた長年のストレスだという話もある。

自殺に使用した拳銃は、なぜか父所有のものではなかった。父の父、つまりヘミングウェイにとっては祖父の拳銃を使用したのである。祖父の拳銃は母グレイスが保管していたようで、「拳銃をもってくるように」と依頼を受けた母は言われた通りに拳銃を父エドモンドに手渡した。そしてまもなくこの拳銃で、父エドモンドは命を絶ってしまった。

父を敬愛するヘミングウェイにとっては、かなりのショックであった。だからして母の自殺ほう助の行為を許せなかった。二七歳のヘミングウェイは母を責め立てた。けれども

「言われたことをしただけ」と母は反発した。二人の仲はますます険悪となり結果、ヘミングウェイは母に対して憎悪すら抱くようになった。

母グレイスは、息子のデビュー作といってもいい『日はまた昇る』に対し、クソみそにヘミングウェイを咎めていた。もっともこの作品は若い世代から大いに支持された。パリ、スペインを舞台としたエキゾチックな雰囲気のなかで繰り広げられる若者たちの恋とニヒリズム。日々目的もなく酒を飲み続ける一見自堕落な生活。ロスト・ジェネレーションの世代を見事に描出し若者中心に人気を得たのだ。作中人物の歩き方や酒の飲み方を真似する現象まで起こさせ、いわば若い世代のバイブル的な作品となった。親世代に理解されなかったのは、仕方ない部分もあるかもしれない。

さて、父エドモンドはなぜ自殺用に自分の拳銃を使わなかったのか。おそらくグレイスに、暗黙のうちに自殺を仄めかすためであったのだろう。

自殺者は本当に死にたいと思うよりも、できれば生きたいという本能が働くらしい。その際に現れるのが、誰かに助けてもらいたいという〝心の叫び〟だ、といわれる。だから、引き留めてもらいたいという一縷の望みもあったかもしれぬ。だが、グレイスはただ黙って素直に拳銃を渡した。引き留める行為はしなかったのだろう。

このあたりの冷淡さをヘミングウェイは指摘し、母を責め立てたのかもしれぬ。もっとも幼い頃から積もりに積もった母に対する嫌悪が、このタイミングで一気に爆発した、といえなくもない。

武器よさらば

銃をこよなく愛したヘミングウェイだけに、作品中の銃の場面はさすがに迫力がある。たとえば巨大な雄ライオンを斃す場面では、

「弾丸は突然あつい焼けつくような吐き気をおぼえさせながら、胃袋の中を突き進んだ。（略）続いて三度目の轟音が起こり下部のろっ骨に当たって、体内に食い込んでいく弾丸の衝撃を感じた。熱い血が突然泡だちながら口中にあふれた。（略）ライオンの重く黄色い巨体がこわばって（略）大きな頭ががくりと前にのめった」（『フランシス・マカンバーの短い幸福な生涯』龍口直太郎訳、角川文庫）といった案配である。

ヘミングウェイがとても嬉しそうな一枚の写真がある。「ニューヨークタイムズ」紙（一九五四年一月二五日付）に掲載されたものである。

記事の見出しは、「飛行機墜落・ヘミングウェイ夫妻助かる」。東アフリカ、ウガンダのカムパラ発となっている。至福に満ちた顔のヘミングウェイである。とはいえ助かった喜

びの写真ではない。右手にショットガンを持ち、いかにも「どうだ、おれの銃の腕前」と言わんばかりの体に見える。ヘミングウェイ家三代目の「銃の名人」の風格が漂っている。傍らには大きなレパードが絶命していた。恐らくアフリカの猛獣狩りの時のものであろう。

弟のレスターは、兄ヘミングウェイの死を次のように言っていた。

「彼は最後の行動に出た。己れの名誉を他人に傷つけられたと感じた武士（サムライ）のように、兄は自分の肉体に裏切られたと感じた。兄自身、これまでの生涯に、無数の生き物たちにいわゆる〝死の恵み〟をあたえてきた人間だ。これ以上の裏切りを許すよりは、と、愛用の銃に弾をこめ、台尻を床にあてたまま身をかがめて、起こした打ち金を外したのだ」（『兄ヘミングウェイ』より）

「ニューヨークタイムズ」紙に掲載されたヘミングウェイ

「無数の生き物たち」を銃によって死に至らしめてきたヘミングウェイは、己自身に銃を向けて完結、と思ったのかもしれぬ。己自身が銃から逃れるのはアンフェアであり、公平さを保つことはできない、と思ったのかもしれない。要するにバランスをとったのであろうが、これをしも贖罪の意味と言えなくもないだろう。

戦場に赴いて作品の題材を求め、自然と対峙し、酒と女を愛し、世界的名声を得たヘミングウェイ。彼の過剰ともいえる生の衝動は、銃によってもたらされ、高揚し、そして銃によって終焉を迎えた。

アーネスト・ヘミングウェイは、死して「武器よさらば」であった。

人生終焉の道具としての銃

アーネスト・ヘミングウェイのように、人生を終焉させる目的で銃を使うケースは少なくない。CBSニュース（二〇一八年三月五日）によると、銃の所持率がもっとも高いのはアメリカではアラスカ州（六一・七パーセント）で、これは昔から猟に銃が使われている文化があるためという。一方、同州の自殺率は全米二位だという。これは労働時間が全米五〇州で一番長いことから、その影響が原因とみられているようだ。要するに仕事のストレスから追い込まれ命を絶つケースである。昨今では日本でも、過重労働の末に自ら命を絶つ人も少なくない。

アラスカでは銃が手近にあるために、銃を人生の終焉に使用しているのだろうとCBSニュースは伝えていた。ちなみに拳銃による自殺率トップはワイオミング州で、逆に低いのはニューヨーク州やニュージャージー州等東部の州といわれている。

拳銃を使って人生の幕を閉じた例で私がもっとも衝撃的であったのは、テレビの美人キャスターのケースだ。生放送中に自ら拳銃を発射し、お茶の間にその映像が届けられたのだ。

一九七四年七月一五日。アメリカＡＢＣ系のローカル局ＷＸＬＴ－ＴＶ（フロリダ州サラソータ）で朝のニュース番組「サンコースト・ダイジェスト」を放送中、故障が生じニュースが流れないトラブルが生じた。ニュースの内容はレストランでの銃撃事件だったという。

するとキャスターのクリスティーン・チュバックは、「チャンネル40のポリシーは、視聴者のみなさんにありのままの情報をお届けすることです」と言うと、「ただいまから皆さまにお見せ致します。本邦初公開の……」と、キャスター・デスクの下から拳銃をとり出す。38口径のリボルバーだった。

そして彼女は「自殺です」と言うなり、自らの側頭部に銃口をあてて引き金を引いたのだった。

スタジオカメラマンは「何かのイタズラかと思った」という。けれどもキャスターはそのままフロアに倒れた。すぐ病院に運ばれたが一四時間後に死亡した。二九歳だった。

それにしても生放送中にわざわざ視聴者に向かって「自殺を宣言」し、さらに実行するキャスターは、前代未聞であろう。朝食を摂りながらあるいは出勤前のしばしの時間にテレビを〝ながら〟で見ていた視聴者は、誰もが何が起きたのか分からずポカン状態であっただろう。実際、「今のは本物なのか⁉」との電話がテレビ局に殺到したそうだ。


拳銃により人生を終焉させた著名人の一人に、ジェイムズ・ティプトリー・Jr.(本名：アリス・ブラッドリー・シェルドン)がいる。ティプトリーは長らく、ラクーナ・シェルドンのペンネームを持ち男性作家と思われていた。ティプトリーは名前の後に「Jr.」とつけたのは夫のシェルドンであった。ティプトリーはペンタゴンの写真分析部門に籍を置いたり、夫とともにCIA(アメリカ中央情報局)に務めたりしていた。

SF作家として一躍人気となった作品は『愛はさだめ、さだめは死』で、日本でも翻訳出版(ハヤカワ文庫版)されている。ティプトリー、三七歳の時であった。

後に大学に戻り、ジョージワシントン大学で博士号を取得したのは五二歳の時。そして同大学で一時、実験心理学の講師を務めた。

ティプトリーは「性的志向は複雑」で、インタビューに応えて「一部の男性は好きだが、私に火をつけるのは常に少女か女性だった」と述べている。

ティプトリーは、イリノイ州ハイドパークの生まれ。父は法律家で探検家。母は作家のメアリ・ブラッドリー。子供の頃のティプトリーは、両親と共にインドやアフリカを探検旅行した。アフリカでは野生のゴリラを見た最初の白人女性の一人といわれている。

この際、父親は銃を携え猟もしていたから、ティプトリーにとって銃は身近なものであったのだろう。常に銃で殺す側に立っていたティプトリーに、いつしかある種の贖罪の感情が芽生えたとしても不思議ではない。大学時代に結婚したがその後離婚。離婚理由は妊娠中絶に失敗し子供が産めなくなったからという。

ティプトリーの最期には、本人と夫も亡くなっている。一九八七年五月一九日、老人性痴呆症が進行した夫を、以前からの取り決め通りにショットガンで射殺し、自らも頭を撃ちぬいた。享年七一。発見されたとき、ティプトリーと夫はベッドに並んで手を繋いだ状態で横たわっていたという。

ティプトリーの死後、ＳＦファンタジー作品に贈られるジェイムズ・ティプトリー・ジュニア賞が創設された。

大リーグの元シンシナティ・レッズの外野手で、俊足を生かしたガッツあふれるプレーで人気のあったライアン・フリールは、二〇一二年一二月二二日、フロリダの自宅で拳銃によって人生を閉じた。二〇一〇年に引退したあと、ある学校の野球コーチをしたがすぐ辞めている。その後、躁鬱病を発症したようで、これが自殺の原因と考えられる。享年三六。

同じく大リーグの元投手で、かつてオールスターにも出場したことのあるドニー・ムーアは、エンゼルス時代の一九八五年、8勝8敗31セーブ・防御率1・92という素晴らしい成績を残している。華麗なるスター選手の一人であった。しかしプライベートでは妻と別居しており、この日（一九八九年七月一八日）も妻と口論となった。その結果、拳銃で妻を撃ったあとに自らも銃で人生を終焉させたのだった。まだ三五歳の若さであった。妻は一命をとりとめた。

夫婦喧嘩の果てに銃を使って共に亡くなったケースもある。モデルのドロシー・ストラットンである。ドロシーは『プレイボーイ』誌のミス・オーガストに選出されたほどセクシーなモデルであった。しかし夫スナイダーと別れ話の末に口論となり、夫に銃殺されてしまった。まだ二〇歳であった。夫もその直後に拳銃で人生を終焉させた。

銃によって人生の幕を閉じた日本の有名人といえば、俳優の田宮二郎であろう。田宮はテレビドラマの「白い巨塔」（フジテレビ制作、監督・小林俊一）の主演をつとめた。最後の収録を済ませて監督らと都内のレストランで打ち上げ会に臨み、その後、自宅に戻って猟銃自殺してしまった。一九七八年一二月二九日、四三歳だった。使用した銃は米国パックマイヤー社製の上下二連式クレー射撃用散弾銃であった。

生前、田宮は妻の前で銃の引き金に足の指をかける格好をして見せて「こうすれば死ねるんだ」と言い、暗に自殺を仄めかす様子を見せていたという。おそらくジョークと妻は受け取っていただろうが、田宮自身の潜在意識下ではいつか愛する銃で人生を終焉させたいと願っていたかもしれない。田宮の死後、スタッフの一人が「白い巨塔」の原作者、山崎豊子に電話連絡すると、即座に山崎は「（自殺は）猟銃でしょう?」と応えたという。銃による田宮の死を感知していたのだろうか。

田宮の死は当時大きなセンセーションをもって伝えられ、ドラマ「白い巨塔」の最終回は三一・四パーセントというきわめて高い視聴率をたたきだした。

第6章 ジョン・ウェインが放つ銃

世界を魅了した「ミスター・アメリカ」

セオドア・ルーズベルトやヘミングウェイと違い、実の世界ではなく虚の世界、映画の中の、いわばエンターテイメントとしての銃の使い手、それがジョン・ウェインだった。

今の若い人には馴染みが薄いかもしれないが、西部劇が衰退した今でも、アメリカ映画史上最大のスターの一人といっても過言ではないだろう。なにしろ晩年の病床時、現職の大統領がこの俳優を見舞った。もちろん異例中の異例のことだ。

ジョン・ウェインは「ミスター・アメリカ」と称される。強いアメリカをシンボライズした人物であったからだ。銃が最も似合い、銃を持たないジョン・ウェインはジョン・ウェインにあらずとさえ言われたほどだ。ジョン・ウェインの銃はアメリカ人はもちろん、世界中の多くの人を惹きつけ、多大なる夢や感動を与えてきたのだった。

私の小学生時代、昭和二〇年代半ばから後半にかけて学校で上映会が催された。ジョン・ウェイン主演、ジョン・フォード監督の『駅馬車』（一九三九年製作）であった。西部劇の金字塔と言われるこの作品が、白い大きなスクリーンに映し出された。スクリーンは木造校舎にとりつけられて校庭にゴザを敷いて観た覚えがある。野外での上映会だから、開始は夜のとばりが降りてからであっただろう。

ジョン・ウェイン（『駅馬車』より）

次々と映し出される、モニュメント・バレーをバックに砂塵を舞い上げながら疾駆する駅馬車、追跡するインディアンの群れ。飛んでくる弓矢に対して銃での対抗。追いつ追われつ手に汗握る緊迫感とスピード感……。ドギマギしながら観たものだった。さらにタタタタ～タラララランの音楽が心に響き、場面を盛り上げる。あのワクワクするような懐かしの音楽は、六〇年以上経った今でも口ずさむことができる。小学生時代に観たこの作品は、いわば映画の面白さや醍醐味を教えてくれた。

ジョン・ウェインはこの一作で一躍人気スターとなっ

た。『駅馬車』と並び称せられるのが、『黄色いリボン』（一九四九年）であろう。テーマ音楽（作曲：リチャード・ヘイグマン）でもすっかりお馴染みである。騎兵隊もインディアン側も、一人の死者も出ていない珍しい西部劇である。『アパッチ砦』『リオ・グランデの砦』とともにジョン・ウェイン主演、ジョン・フォード監督の騎兵三部作と言われている。

保安官が、あるいはガンマンが悪党をやっつけるという分かりやすいストーリー。ドンパチを見て心がスカッとしたものであった。ジョン・ウェインは背も高くガッシリとした体躯、強さの象徴であり、当時は正義のシンボルであった。

このほかにもジョン・ウェインには数々の名作が残されている。西部劇の最高峰との呼び声高い前出の『駅場車』をはじめ、『幌馬車』『アラモ』『勇気ある追跡』『西部開拓史』等、およそ一五〇本の映画に出演した。

ジョン・ウェインが亡くなった時、女優のモーリン・オハラは、「彼はアメリカなんです」という言葉を残した。一体どういうことか。

オハラはたびたび共演していたから、彼のことをよく知っていた。〝アメリカ的〟なるもの、すなわち銃と共に歩む強さをジョン・ウェインは体現している、というわけだろうか。

俳優としてジョン・ウェインは銃にこだわりを持っていたが、彼は拳銃よりもライフルを愛用した。拳銃はライフルよりも小さく、チャチに見える。チャチな拳銃を使うのは、大柄な自分にとって似つかわしくない、いかにも小者くさい、とジョン・ウェインは感じていたようだ。チャチな拳銃を使うくらいなら、代わりに素手の拳で悪をやっつける方がいい。殴り合いになればアクションが伴い画的におもしろく観客は喜ぶはずだ。大男のジョン・ウェインなだけに、拳銃を持っても様(さま)にならず銃を持つのであればライフル、というわけであった。

だからだろうか、ジョン・ウェインのポートレートには拳銃を持つ姿が確かに少ない。圧倒的にライフルを持っているのだ。デビュー作の『ビッグ・トレイル』(一九三〇年、ラオール・ウォルシュ監督)のポートレートは、左手にライフルの先端を握りしめ右手はベルトに手を置くジョン・ウェインの姿であった。

ちなみに「ジョン・ウェイン」は芸名で、名づけ親はデビュー作の監督、ラオール・ウォルシュである。アメリカ独立戦争の将軍役の名前、アンソニー・ウェインからとったというのだ。アンソニーはイタリア的な名前のため、アメリカ風の「ジョン」に変えたとか。

渾身の遺作『ラスト・シューティスト』

西部劇の黄金時代は、第二次大戦後から一九六〇年頃までとされる。西部劇の大スターであるジョン・ウェインの全盛期もここに重なるわけだが、西部劇が衰退した後、ジョンにとっては晩年に、特筆すべき作品がある。『ラスト・シューティスト』（ドン・シーゲル監督、一九七六年）だ。

この遺作となった作品でジョンは、西部にその名をとどろかす凄腕の老ガンマン役を演じた。ガンに侵され余命一か月半を前にした心境を描いているが、当時現実にガンに侵されていただけに、虚実をないまぜにした、まさに見るものの心を奪う迫真の演技であった。もっともこの映画の企画からして、実の部分と重ねる狙いがあったのは間違いないところだ。

この老ガンマンは常に45口径の拳銃を二丁持っていた。拳銃のグリップは象牙細工が施されている凝りようだった。余命一か月半という弱々しい役柄には、ライフルは大きすぎたのであろうか。

共演はローレン・バコール。年配の方はよくご存知の女優であり、俳優ハンフリー・ボガードの元妻。『百万長者と結婚する方法』では、伝説的な女優マリリン・モンローと共演したことで知られている。

ジョン扮する老ガンマンが、下宿屋の未亡人役のローレンに対して言うセリフがなかなかいい。

「みないつか死ぬんだ」

ごく当たり前のセリフだが、人生を達観した雰囲気が醸し出されて妙に説得力があった。そして銃に関するこんなセリフも。

「男たるもの、銃の使い方を心得ていなくてはならぬ」

〝must〟という言い回しがいかにもアメリカそのものの声に聞こえてくるではないか。銃とともにアメリカを作ってきた歴史の一端が垣間見える。

実際のジョン・ウェインは、役柄を演じ続けるうちに主人公の気概が乗り移ってしまったのかもしれない。愛国心が強く超タカ派の思考の持ち主と言われていた。ベトナム戦争を題材にした『グリーンベレー』（一九六八年）という映画は、監督・主演をジョン・ウェインが務め、当時アメリカ国内では反戦ムードが盛り上がるなか、このムードを吹き飛ばそうとアメリカ軍を肯定的に捉えた映画だった。

さて、私が『ラスト・シューティスト』に思い入れがあるのは、この作品がジョン・

ウェインの遺作というだけでなく、テレビで初放送したときの担当だったからだ。当時私はフジテレビ映画部に所属していた。放送日はジョン・ウェイン没後三年目のゴールデンタイムに決定した。

これに合わせ、日本でジョン・ウェインの追悼セレモニーを行った。場所は、アメリカのサウスダコタ州ラシュモア山にある四人の大統領の顔がある建造物を模したテーマパーク、日光市のウエスタン村であった。二頭立ての馬車に大きなジョン・ウェインの写真額と花輪を載せて西部を模した街を一周させた。その後に教会で本物の神父を招いて追悼セレモニーを粛々と行った。もちろんそれだけではなく、拳銃による派手なドンパチのアクションを展開させてテレビのワイドショーで放送した。

また、映画の放送前にジョン・ウェインの墓に花輪を捧げようとしたのだが、墓が見つからなかった。伝手を使って、ハリウッドにいるジョン・ウェインの生涯の友というメーキャップ・アーチストのビル・ターナー氏と連絡をとることができた。するとターナー氏は「デューク（ジョン・ウェインの愛称）は墓を一般に知らせることを喜ばない」と言い、さらに「遺族はデュークの墓を秘密にしている」と付け加えた。アメリカで当時、有名人の墓が荒らされて遺骨が盗まれ金品をゆすする事件が相次いでいた。特にジョン・ウェインは「ミスター・アメリカ」だけに危険は高い。しかし現在は墓の場所（カリフォルニア・

ニューポートレート）も明らかとなっている。墓碑銘は「醜く、強く、確かに」であった。ところでジョン・ウェインの死因はガンと伝えられているけれど、その原因はネバダ州の核実験場から一〇〇マイルの風下でロケ（『征服者』）を行ったからだという話も伝わっている。が、確たる因果関係は定かではない。

『アラモ』で体現した〝テキサス魂〟

西部劇全盛時代を象徴する一本として、やはり『アラモ』（ジョン・ウェイン製作・監督・主演、一九六〇年）を挙げねばなるまい。一八三六年に実際に起きた事件を題材にしたもので、この作品へのジョン・ウェインの思い入れはすごかった。なにしろ私財を投げうっての映画化であった。

題材はテキサス共和国側とメキシコ軍の戦いである。「Remember the Alamo」（アラモを忘れるな）という言葉があるほど、〝テキサス魂〟の原点ともいえる戦いであった。共和国側はわずかに一八六人。対してメキシコ軍は約六〇〇〇人。勝負は明らかだった。

メキシコ軍はアラモの砦に立てこもる共和軍に対し、周囲をがっちり固めて乱射。共和軍もこれに応じて激しい銃撃戦が展開された。銃の数では圧倒的な違いで勝負はあっけなく終わるかと思いきや、共和国側は白旗を上げずに徹底抗戦した。共和軍にはかのデヴィー・クロケットがいた。「わずか三つで熊退治」という歌にもなったテネシー生まれの伝説的なあの人物である。トレードマークのアライグマの帽子をかぶってメキシコ軍の大群に向けてライフル銃を乱射した。このクロケット役をジョン・ウェインが演じたのである。右手にライフルを持ち馬上にまたがるジョン・ウェインの雄姿は、いかにもテキサス魂、いやアメリカ魂を感じさせるポートレートであった。

ジョン・ウェインが持つライフルは、見たところかなり大きなもの。もちろん小道具の銃であり、実際はイギリス製のベーカー銃（全長一一六二ミリ、重量四〇八〇グラム、口径一五・九ミリ）であるが、画を優先させたために少し史実的にはズレてはいるもののウィンチェスター銃（レバー・アクション・カービン）を使用したのであろうか。

さて、共和軍が立てこもったアラモの砦は、アラモ伝道所といってスペインの所有物。地元のインディアンにキリスト教を伝道する建物だった。戦いは一三日間も続いたのだが、結果、テキサス共和国側は全滅した。デヴィー・クロケットは逮捕され、その後処刑された。

敗れはしたものの、このテキサス魂はアメリカ人の心を打った。現在この建物は博物館となっている。

なぜジョン・ウェインはこの作品を、私財を投じてまで作ったのか。そこには、ベトナム戦争を肯定的に描いた『グリーンベレー』と同様、当時のアメリカ事情がちらつくのである。折しも米ソの二大国が世界の覇権をめぐってしのぎを削っていた時代。先人のテキサス魂を多くのアメリカ人にあらためて感じてもらおうと、士気を煽りたてたフシもなくはない。

西部劇は日本で言えば時代劇、明快なストーリーと単純な倫理観を備えた娯楽作品が主流だ。後年、西部劇のフォーマットにメッセージ性を乗せた作品も現れたが、六〇年代までのそれは、痛快娯楽劇以上でも以下でもなかった。それでもジョン・ウェインは、アメリカの象徴としてフィクションの世界で築かれた自己のあり方に現実の自分が影響され、またそれをフィクションに還元しようとしたのかもしれない。

傑作西部劇の数々

痛快西部劇と言えば『リオ・ブラボー』（一九五九年）であろう。監督はハワード・ホークス、共演は当時の人気歌手ディーン・マーチン、ロック歌手のリッキー・ネルソンだ。舞台はテキサスの街。歌あり恋あり、もちろんドンパチありの、誰でも楽しめる痛快西部劇となっている。ジョン・ウェインは保安官役。ディーン・マーチンは失恋でアルコール依存症となった保安官補役。リッキー・ネルソンは銃の早撃ちの若者を演じた。女優は笑顔が素敵なアンジー・ディキンソンが色を添えている。

この映画をさらに盛り上げているのが挿入歌だ。トランペットが哀しく奏でる「皆殺しの歌」である。これは、メキシコ軍がアラモの砦に立てこもるテキサス共和軍を攻撃する際に流した「DE GUELLO」を元に作られた曲（作曲：ディミトリ・ティオムキン）だという。ちなみに前出の映画「アラモ」でも、この曲は挿入歌として使用されている。

『リオ・ブラボー』は、インディアンは〝悪〟、白人は〝善〟として描かれており、実に分かりやすい構図の西部劇である。これが当時白人がマジョリティのアメリカで公開されると、大いにウケるわけだ。〝悪〟としてでっち上げるには、さまざまな憎悪を観客に抱かせねばなるまい。憎悪が増大すればするほど、銃撃シーンは観客の心を鷲づかみにして大いに揺さぶる。気分爽快、心はスカッとなるのである。

たとえば南北戦争が終わって三年後という時代設定の『捜索者』（一九五六年、ジョン・フォード監督）の場合、実に単純明快だ。インディアンによって兄夫婦一家が殺され、なおかつ美人の姪（ナタリー・ウッド）は連れ去られてしまう。弟の主人公（ジョン・ウェイン）は復讐の鬼と化す。復讐と同時に姪を取り戻すために旅に出る主人公。観客は主人公側の心に寄り添いながら憎悪を増大させていく。ひょっとすると〝悪〟に対して日頃の鬱憤を抱く、あるいはストレスの元凶となる人物を勝手に空想し、重ね合わせて観ている人もいたかもしれない。

そしてクライマックスは激しい銃撃戦である。銃から放たれる弾丸はけたたましい音を発して憎悪すべき者たちに着弾し、悪は痙攣しながら絶命する。待ってましたとばかりに観客は拍手喝采を送る。銃弾の発射音と〝悪〟を撃ち斃す拳銃の力は、エンターテイメントの世界では精神衛生上の効果に繋がるのかもしれない。ちなみにこの『捜索者』は、アメリカ映画協会により最も偉大な西部劇映画第一位に選出されている。

名ガンマン役のジョン・ウェインが、人気俳優ロバート・ミッチャムの保安官とコンビを組み悪漢をやっつける映画『エルドラド』（一九六六年、ハワード・ホークス監督）は、テキサスが舞台である。エルドラドとは黄金郷の意味。

悪辣な牧場主に、ジョン・ウェインの銃が火を吹く。ここでジョン・ウェインは、銃に関してひとくさり。射撃の下手な若者が友人の仇討ちに燃えていた時、ジョン・ウェインは馴染みの鉄砲屋に行き、若者にソードオフ・ショットガンを購入させる。「弾が拡散するから下手でも当たる」とは若者に向かってジョン・ウェインのセリフ。ソードオフ・ショットガンとは、銃身を切り詰め銃床も短くしたもの。中折れ式散弾銃ともいう。

これで思い出すことがある。私がアメリカ放浪中のことであった。

ケネディ大統領の暗殺現場を見たあとにテキサスをぶらぶらした。ある場末のホテルを見つけ泊りの手続きをする際、アクシデントが起きた。時刻は午後八時過ぎ、場所はテキサス州フォートワースであった。

ホテルのカンターにいた五十半ばの白人の男は、私をじろじろ見た後に「部屋はないね」と見下げるような口ぶりで断ってきた。長髪にジーンズ姿、無精ひげも伸び放題。見るからに怪しい東洋人と見定めての拒否であったらしい。

若かった私はカチンときた。つい日本語で「ふざけるんじゃないよ」と怒鳴ってしまった。もちろんこちらの言葉など理解していない。理解してないのをいいことにさらに日本語でたたみかけた。「あのね、日本人をバカにすんじゃないよ！」。

ホテルマンは「どこの出身か」と質問してきたから「日本人」と答えた。すると再び「泊りはノー！」と拒絶。当時、日本人の評判はよくなかった。理由は日本の若者はテルアビブ空港（イスラエル）で乱射事件を起こすわ、乗客を人質にしてハイジャックするわと無軌道な行動が世界中に知れ渡っていたからだった。これら事件を受け、年配アメリカ人の一部は戦争時代の特攻を想起したフシもあった。加えてテキサス州など南部ではカラード・ピープルを見下す風潮もまだ残っていた。それだけに、このホテルマンから私が宿泊拒否されても仕方のないことだったかもしれない。

しかし私は若かった。ホテルマンにひるむことなく反駁した。「空き部屋があるのに不公平じゃないか、このくそジジイ、なめんじゃないよ」と下品な言葉を連発した。今振り返るとゾッとする。銃社会のアメリカで、年配者を相手に発する言葉ではない。

ホテルマンはついに警察を呼ぶぞ、と脅した。「呼べ！」と私も言い返した。ホテルマンは電話をとるや「ジャパニーズボーイが暴れている」と通告している。するとまもなく、入口の回転ドアから一人の男が現れた。身長二メートル、体重一〇〇キロぐらいの大男の警察官だった。手にソードオフ・ショットガンを持っていた。さらに腰にも拳銃が……。

「どうしたんだ？」と威圧的な声の警察官。ホテルマンは「この日本人が泊まらせろと脅すんです」と警察官に訴えた。けれど舌は少し回らぬ口調であった。実はこのホテルマン、勤務中（？）にもかかわらず酒瓶を隠してちびりちびりと酒を飲んでいたのだった。私は酒瓶をサッとカウンターの下に隠したのを見ていた。

アメリカにはかつて禁酒法があった。その名残りもあってか、酔っ払いすなわちダメ人間、という烙印を押しがちだ。この事情を私は知っていたから、「ドランカー（酔っ払い）」を強調して警察官に訴えた。

警察官はこちらの言い分に納得しながらも、私に「ＩＤカードを見せろ」と迫った。当時、米大学に籍を置いていたので学生証を見せると表情を和らげた。「銃の必要がない」人物と判断したからだろうか。警察官はホテルマンを咎めている風であった。聞き取れなかったが恐らく、「酒でも飲んでいるのか」と質していたのかもしれない。もし泊りOKと言われてもケチのついたホテルだ。私はすでにこのホテルに泊まりたくなかった。私は「別なホテルを探すので既に支払った金を戻して欲しい」と警察官に訴えた。ふつうは当日宿泊できるか否かを訊き、ホテル側がOKなら宿代を支払うものだ。しかしこの時私はなぜか先にお金を渡してしまった。宿代はとられる上に宿泊拒否だから私は暴言を吐いたわけである。

警察官はいくら支払ったのか、と訊くからつい「四十ドル」と言ってしまった。実際は三十ドルだった。警察官は頷きホテルマンに「四十ドルの支払い」を命じた。ホテルマンはぶつぶつ言っていたが、酔っている。警察官に信用されなかった。結局、私は四十ドルを手にした。つまり十ドル余計にもらってしまった。当時のレートは一ドル二六〇〜七〇円であった。

だが、このツケはまもなくやってきた。別の木賃宿風ホテルに泊まったのはいいのだが、ベッドが不衛生であったせいか一晩中体が痒くて寝られなかった。翌朝早々にホテルをあとにした。ところが腕時計を置き忘れてしまった。気がついた時はすでに遅し、であった。

さらに不運は続いた。サンノゼに戻ったあと、今度は十段式の自転車が盗まれた。サンノゼ図書館の前で鍵をかけた上にチェーンで車輪を固定させて盗難防止をしていたのだが、自転車は消えていた。愛着のあった自転車だけに落ち込んだ。十ドル得した代償（？）は大きかったのである。

けれどももし私の日本語の暴言を理解していたら、酔っ払いのホテルマンは受付カウンターの下に隠していたであろう拳銃に手を伸ばしていたかもしれない。せめて銃で撃たれなかったことだけは幸いと今では思っている。

西部劇と共にあった生涯

ジョン・ウェインに話を戻そう。

ジョン・ウェインは一九〇七年アイオワ州ウィンターセットで生まれた。家は薬屋で薬剤師の息子だった。本名はマリオン・ロバート・モリソン。南カリフォルニア大学の学生時代に映画の大道具係や小道具係のアルバイトをしていた。ハンサムで長身なこともあって俳優として誘われ、映画界入りとなった。

最初は端役だった。前出『ビッグ・トレイル』（一九三〇年）の主演に抜擢されるも、映画はヒットしなかった。以後、しばらくは不遇な時代を過ごす。そして人生が一変するのは、映画監督のジョン・フォードとの出会いであった。主演した『駅馬車』が大ヒット、一躍人気スターとなったのは前に述べた通りである。この映画以降フォード監督とコンビを組み、次々とヒット作を生み出したのだった。

ジョン・フォードはアメリカ映画界を代表する巨匠監督。アカデミー監督賞四度受賞は歴代最多である。ジョン・ウェインと組んだ西部劇が有名だが、実はその作風はコメディ、戦争、社会派と幅広い。批評家筋からは晩年に至るほど評価が高く、いわゆる作家主義の監督とみなされるようになった。日本では黒澤明が多大な影響を受けたことで知られる。

そもそも西部劇は、アメリカという国の土台を確立した西部開拓を劇化したものだ。セオドア・ルーズベルトも生涯のテーマとして、九年の歳月をかけ大著『西部の征服』を書き上げた。

西部開拓を歴史的観点から映画にしたのが『西部開拓史』（ヘンリー・ハサウェイ監督）である。主役の一人はジョン・ウェイン。役柄は大将ウィリアム・テカムセ・シャーマンだった。シャーマンは南北戦争時代、のちの一八代大統領、グラントと並ぶ勇将だった。

ウィリアム・テカムセ・シャーマンはグラントと違って政界入りせずに軍人を貫いた。

当時、有能な軍人とは、いかに多くのインディアンを抹殺して「西部開拓」をどれだけ拡大させたか、で決まる。有能な軍人であったシャーマンには残虐なイメージがつきまとうが、一方で「War is hell」（戦争は地獄だ）の言葉を残している。セオドアの深層心理と一緒か。

ところでシャーマンのミドル・ネームは「テカムセ」である。これはあのテカムセ、ショーニー族のリーダーでインディアンの英雄にちなんでいる。このシャーマンがインディアンの掃討戦で活躍したのは、歴史の皮肉と言われている。

さて、ジョン・ウェインは米映画界のトップスターとなったが、なかなかオスカーを手にすることができなかった。エンターテイメントの溢れる娯楽映画では認めてもらえなかったのか。あるいはタカ派のイメージが強かったせいであろうか。

ようやくオスカーを手にしたのは六〇歳を過ぎていた。『西部開拓史』でメガホンをとったヘンリー・ハサウェイ監督の『勇気ある追跡』（一九六九年）で、ジョン・ウェインは主演男優賞を受賞した。

この時ジョン・ウェインはオスカーを手にして涙を流したという。涙にもっとも相応しくない「ミスター・アメリカ」が男泣きしたのだから、本人にとっては悲願だったのだろう。硬骨漢の涙を見て多くの人が感動したものだった。

この頃、ジョン・ウェインの体はすでにぼろぼろであった。俳優はとくに時間も不規則、演技時間もばらばら。ドーランを顔に塗り常に光量の多い照明に狙われる。肉体的にも精神的にも、過酷な職業と言える。

ジョン・ウェインは四〇代以降、さまざまな病魔との戦いの連続であった。

一九六四年、四三歳で左肺切除。一九七八年、五七歳で豚の心臓弁膜を移植。そして一九七九年、五八歳で胆嚢手術。その二〇日後に胃除去。三か月後に気管支炎。さらに一か月後に腸閉塞手術。まさに病との戦いであった。

プライベートでは三度の結婚。七人の子供に恵まれた。そして孫はあわせて二一人という大家族を作り上げた。まさに巨人である。

一九七九年六月一一日、ロサンゼルスの病院で死去。七二歳だった。カーター大統領から大統領自由勲章を授与された。

虚の世界ではあるけれど、「銃」の映画に数多く出演したジョン・ウェイン。当然戦争映画にも数多く出演した。そして「アメリカの英雄」と称えられた。しかし、現実には兵役についたことは一度もなかったという。

「銃の映画」の系譜

ジョン・ウェイン主演・ジョン・フォード監督という黄金コンビ以外にも、「銃」が重要な役割を果たす傑作西部劇は数多い。『真昼の決闘』（一九五二年、フレッド・ジンネマン監督、出演：ゲイリー・クーパー、グレイス・ケリー）、『OK牧場の決闘』（一九五七年、ジョン・スタージェス監督、出演：バート・ランカスター、カーク・ダグラス）などは、日本でもファンの多い作品だろう。

一九六〇年代中盤以降、アメリカで衰退の兆しが見えてきた西部劇だったが、そのころからイタリア製西部劇が台頭してきた。これら作品はマカロニ・ウェスタンと呼ばれ、従来の西部劇とは趣を異にしている。マカロニ・ウェスタンに出演するため、海を渡ったハリウッドスターも多い。『荒野の用心棒』（一九六四年、セルジオ・レオーネ監督）などが思い浮かぶが、個人的には『夕陽のガンマン』（一九六五年、セルジオ・レオーネ監督）だ。

銃声が響いた直後に流れる口笛の調べ。物悲しい調べだが、今にも何かが起きそうなワクワク感が湧き上がってくるオープニングである。夕陽をバックに一人の男が腰にガンベルトを巻き、立ちつくす。ハットを目深にかぶり頬は削げ落ちている。どこかニヒルな雰囲気を醸し出す。拳銃の似合う男、クリント・イーストウッドである。拳銃さばきは天才的な賞金稼ぎの役であった。使用した拳銃は回転式のリボルバー。

この『夕陽のガンマン』は『荒野の用心棒』の続編として作られた。ちなみに『荒野――』は黒澤明監督の『七人の侍』を模して作られたという。

西部劇は、その背景にある勧善懲悪の単純な倫理観が時代に合わなくなって衰退したと言われる。それに代わって台頭してきたのが、アメリカン・ニューシネマだ。これは、冷戦構造の緊張からベトナム戦争になだれ込んでいく当時のアメリカの世相を反映して、何が正義で何が悪か、単純には言い切れない状況を描いたものが多い。戦後生まれの若者に圧倒的に支持された。

アメリカン・ニューシネマにも、「銃」が重要な要素として描かれる作品は多い。『明日に向かって撃て!』(一九六九年、ジョージ・ロイ・ヒル監督)は、舞台設定こそ西部劇のフォーマットに則っているものの、表現としては従来の西部劇とは全く異なる、新しい感性による作品といえる。現代ニューヨークを舞台にした『タクシー・ドライバー』(一九七六年、マーティン・スコセッシ監督)は、カンヌでパルムドールを受賞した。

だが、何といっても「銃」のニューシネマといえば、『ダーティーハリー』(一九七一年、ドン・シーゲル監督）だろう。主演のクリント・イーストウッドは、マカロニ・ウェスタン俳優として海を渡ったスターの一人。見事な拳銃さばきは、イタリアで鍛えたものだった。

イーストウッド演じるアウトローなサンフランシスコの刑事、ハリー・キャラハン愛用の拳銃はスミス&ウエッソンM29。ハンドガンでありながら、狩猟用に開発された銃といわれる。弾丸は44マグナム弾、威力抜群だ。映画の影響でこの銃はたちまち人気となり、現実的にも売上げに大いに貢献したという。しかも今でも人気の銃の一つとなっているらしい。

ハリーがS&W M29から放つ弾丸は、正義のためでも大義のためでもなく、己の信念と行動規範から標的を目指した。

「銃」は映画にとどまらず、テレビドラマでも人びとを楽しませた。スティーブ・マックイーンの『拳銃無宿』、デビット・ジャンセンの『逃亡者』は人びとを熱狂させたものだった。

ジョン・ウェインが放った「エンターテイメントとしての銃」は、これからも時代によってその在り方を変えつつも、人びとを楽しませてくれるだろう。

エピローグ

アメリカの銃規制に関して、もちろん私は反対派ではないが、擁護派でもない。そもそも他国のルールに対して外国人が軽々に口をはさむべきではない、と思っている。

若き日のアメリカ在住時代、私はサラ邸すなわちミステリーハウスの近くに住んでいた。そしてミステリーハウスが、常に見学者で賑わっているのを目にしていた。見学者はカリフォルニアのみならず全米各地から集まり、女性が多かったと記憶している。やはり同性としてサラ夫人に関心があったのだろうか。

サラ夫人は銃メーカーの御曹司の妻であり、四か国を話す聡明な女性であった。この謎多き女性に、私も惹かれるようになった。

ミステリーハウスは日本風にいえば、ずばりお化け屋敷といっていいかもしれない。お化け屋敷は明らかにウソの話だが、このミステリーハウスはウソではない。しかも家の造りが世界各地から集められた素材で造られている。人は誰でも他人の家を覗く好奇心をもっているだろう。まして謎多き女性の館となると興味は尚更だ。

そしてサラ夫人の謎を調べはじめると、この館で日本人が働いていたことがわかった。この事実はあまり知られておらず、地元の日系人すら当時知らなかった。私は現地在住の日本人として、地元メディアにあたるなどして当時のことを調べた。


日本に帰ってから、私はサラ夫人のことに関心がなくなった。理由は日々の仕事と生活に追われたからである。ところが昨今のアメリカで、銃事件が相次ぐ。当初、私は気にもとめなかった。アメリカの銃事件なんて当たり前ではないか。アメリカなんだから、といった気持だった。

しかし、あの凄まじいラスベガスの乱射事件により、全米各地で一〇〇万人を超えるデモが行われたことには驚いた。被害に遭われた人びとの悲しみの顔をテレビ画面越しに見た時、心が動いた。アメリカ人の銃に対する一様ではない思いを知った。そして、私の中で眠っていたサラ夫人への関心が呼び戻された。銃で殺されたインディアンの亡霊に日々脅えていたサラ夫人のことを。

調べを進めると、サラ夫人と二六代セオドア・〝テディ〟・ルーズベルト大統領が繋がっていることが分かった。その背景に日露戦争勃発時のドキュメントも浮上し、私はのめり込んでいった。謎が謎を呼び、点と点が結びつく。まったく新しいドキュメントが、まるで透かし絵の如く浮かんでくるのだった。

そして歴史と現代が繋がった。二〇二〇年から突入するであろうアメリカの呪い、二〇年ごとに大統領を直撃するといわれる「テカムセの呪い」である。これらが一緒くたとなって私の心を駆り立てた。

アメリカで銃規制がたとえ行われたとしても、銃の事件や乱射事件はそう簡単になくなるとは思えない。当然と言えば当然である。人間はルールをつくったとしても、繰り返し犯行はある。

銃の乱射事件の狙撃犯の心は健全ではない。何か心の闇を抱えているはずだ。この心の闇をできるだけ救ってやる社会体制を拡充すると同時に、情操教育、人間教育も必要であろう。単純に銃を取り上げればそれで解決するものではない。何度も繰り返して言うが、銃はアメリカの歴史そのものである。

銃による悲劇が繰り返されることのないことを願う。同時に、誰もが心の憂さをふっ飛ばすような、心身ともにスカッとさせてくれる〝銃の効用〟を発揮した素晴らしいエンターテインメントを、私は期待したい。

〈寄稿〉

私とアメリカ銃——松本方哉

一九八〇年フジテレビ入社。報道局記者として官邸や防衛庁担当を経てワシントン特派員。湾岸戦争、米同時多発テロ、アフガン戦争、イラク戦争を取材。二〇〇三年「ニュースＪａｐａｎ」アンカーマンに就任。専門は日米関係、米国政治と米国外交等。妻の介護を通じて医療、介護問題を見つめ続けている。著書『突然、妻が倒れたら』（新潮社）。

私が初めてアメリカの首都ワシントンに降り立ったのは一九八六年の九月のことだった。私は三十歳になったばかりでワシントン特派員を命じられ、かの地に降り立ったのだ。妻と私は、とりあえずワシントン支局のある一四番街とＦ通りの角にあるナショナル・プレスビルと並んだＪＷマリオット・ホテルを仮の宿に構えた。

その日、曇り空のワシントンの街はどんよりとしていて、土曜日のお昼近くにホテルの部屋に荷物を降ろした我々は、食事もしたいし、ちょっと一息入れたいとの思いでホテルの外へ散策に出たが、とても緊張していた。

当時も日本に聞こえてくるのは「銃」がらみの事件が多くて、特にワシントンでは次々と銃撃事件が起きている状況が渡米前から伝えられており、私はそれまでに訪ねたことがあるヨーロッパやハワイとは全く違った危険な場所のような緊張感を感じていたのだった。

さて、ホテルを出た私たち夫婦は一四番街をホテルに沿って下り始めたが、正面から浮浪者が我々の方に歩いてくるのにちょっと緊張を高めた。髭面の大男で何かピストルを隠し持っていそうな雰囲気がしたので、慌てて次の角を左に、ホテルの南側を走るE通りの方に曲がり、通りをナショナル・シアターの方へ歩き始めた。

ところが今度は紙袋を手にした浮浪者が近寄ってきたので、あの紙袋には銃を隠し持っているかもしれないと考えた我々は、次の角を十三番街の方に左に曲がり、坂を足早に上がったが、そこには何人もの雲をつくような大男の浮浪者があちこちにいたので、これは撃たれるのではないか、と考えて、次の角を再度左に曲がってF通りに入り、足早に浮浪者たちの溜まり場を通り過ぎると元の一四番街とぶつかる角を左に曲がって坂を下り、マリオット・ホテルの入り口まで辿り着くと建物内に入ってロビーの椅子に座ってため息をついたものであった。

何のことはない。JWマリオットとプレスビルがある一角を一周しただけでホテルへ逃げ帰ったのである。

これはその後長い間、妻と私の笑い話のタネとなり、「なんであの時、あんなに怖がったのだろうね」「怖がったのはあなたじゃないの」とやり取りをした。

もちろん、すぐにワシントンの街に溶け込んだ私たち夫婦は、その後は夜中でも地下鉄にも乗るようになったし（とてもきれいな地下鉄だった）、東京から午前二時半過ぎに（日本は夏場だと午後一時の編集会議が終わった頃になる）電話をもらって、夕刊用にリポートが欲しいと言われれば、自宅から支局まで車を走らせて、プレスビルの目の前の通りに車を停めて、夜中に支局へ駆け込むような仕事も頻回にこなすようになった。

「なんであの時、あんなに怖かったのか」

と考えると、要は「アメリカは銃社会で怖い」という情報をあまりに沢山聞きすぎて、特派員としての赴任という緊張感の中で、正常な感覚では無くなってしまっていたのではないか、と思っている。

もっとも、アメリカの首都ワシントンDCと銃の関係は、そんなに無茶な結びつきでもないだろう。

アメリカ政治や外交、安全保障をジャーナリストとして四十年近く観察してきた私にとってアメリカとの付き合いの原点は、この本の中でも詳述されているレーガン暗殺未遂事件だったと思う。事件が起きた時、私はフジテレビ報道局の内勤の一年生だった。上を下への大騒ぎの中を外信部応援に入ったので、東京からではあったが、レーガン大統領の容態に関する最新情報や現地の特派員の取材、さらには当時の契約局のCBSテレビの素材などをつぶさに目にすることになり、それらを編集し、原稿を書き、ニュースとして放送する中で、銃社会の怖さを学んでいった。

私はのちにワシントン特派員となり、ブレディ・ルームと名づけられたホワイトハウスの記者会見室に一人座って考えごとをする時など、レーガン大統領暗殺未遂で流れ弾にあたり、以降身障者となり亡くなったブレディ報道官の数奇な運命に思いを巡らせたものだ。ちなみにブレディ氏とその妻は、銃規制を推進するロビイストになった。非営利団体ブレディセンターを設立し、一九九三年に「ブレディ・ハンドガン・バイオレンス防止法」が可決されている。

実はワシントンというところはアメリカ政治の首都だけあって、基本的に銃の所有が制限されている土地なのである。政治家や外交官、世界中からの記者が多いので、そんなところで銃を自由に使われてはたまらない、ということだろう。物凄く厳しい銃規制が行われている。

また、ホワイトハウスや米議会、国務省や国防総省の出入りには専用パスと徹底したボディチェックがあるので、取材をしていて危険と思ったことはない。銃を見ると言っても、議会警察の警官や大統領の護衛官のシークレット・サービスが銃を誇示するようにちらつかせながら仕事をしているのを見るくらいのものである。

もっとも私がワシントン特派員をした一九八〇年代後半は、貧困層が多いある地区で銃の犯罪が多発していて、連日ニュースになっていた。東京のデスクから一度、何か企画を出せと要求された時に、「ワシントンには平均すると一日に二十件ぐらいの銃犯罪がある四つ角があるので、その交差点に私が立って状況をリポートするという企画はどうでしょうか」とFAXを送ったが、「やめとけ！」と書かれたFAXが送り返されてきた。

実はその後、現実にその地区の入り口にあたるあたりで、妻と私の車のタイヤがパンクして立ち往生したことがある。二人でポトマック川沿いの料理屋で夕食を食べた後、帰り道で迷って貧困地区に入ったところで、どういう訳かタイヤの一つが破裂してしまったのだ。夜十一時ごろのこと。通りは街灯が数えるほどしかなく薄暗い。とんでもない場所で困ったことになったと思った。私たちが車の中で思案していると、車窓をノックする人間がいる。窓を叩いたのは体の大きな黒人男性で、窓の外から「パンクか？　直してやろうか」と声をかけられた。

この瞬間は頭の中に車から出たところを銃で撃たれる妄想が湧いて、本当に怖いと思ったが、他に手もなく、こんな場所で自分一人でタイヤを替えることなど不可能だと思ったので、この大男に頼むことにした。後ろのトランクからスペヤタイヤを出して男は交換を始めた。

一方で、近くの家から中国系アメリカ人の老人が扉を開けて出てくると、車に近づいてきてパンクかと尋ねた。そうだと答えると、

「この辺りは物騒だからね、車の中にいるのは危ない。奥さんだけでも私の家の玄関の中に避難してはどうか」

と声をかけてくれた。玄関にはこの老人の家族であろう、中国系アメリカ人の年配の男性や女性が薄暗い玄関のガラス窓からこちらを伺っていた。妻はその老人について家の中に入り、私は覚悟を決めて車の外で、大男の側でタイヤを交換する様子を見守った。男はあまり口をきかなかったが、「中国人か?」「どうしてこんなところにいるんだ」と訊ねた。

「日本人だよ。記者なんだ。妻と夕食の帰りだ」

と答えると、

「まだ、この辺りでよかったな」

と言った。

結局、男はタイヤを一人で替えてくれて、「一五ドルでいいよ」と言われた。拍子抜けした私はお礼を言って二〇ドル札を与えて「とっといてくれ」と渡した。老人が妻を玄関

からエスコートしてきて大男と「この辺でも物騒だからね」「俺たちがいて良かったよ」と話した。私たち夫婦は何度も日本式のお辞儀をしながらお礼を言い、その場所を直った車で後にしたが、アメリカ人の優しさ、おおらかさにふれた思いで温かい気持ちになった。

私は人生でアメリカとの付き合いは長くなったが、日常生活の中で、個人の家で銃を見たのはこれまでの人生で一度しかない。取材先のお宅の方が書斎の引き出しを開けた時に、そこに銃が見えたというただ一回の経験だけである。アメリカ国内に三億丁あると言われる個人の銃を六〇年の人生の中で一度しか見たことがないのだから、私の人生ではアメリカ銃とは出会わなかった、と言う方が正しいだろう。

考えれば、人は短い人生でいろいろな良いことや悪いことに出会うが、この出会いすべてに意味があり、出会うか出会わないかで人生が決まる。銃により、いまや年に三万人ものアメリカ人が死亡する。そういう意味ではアメリカという国の銃との出会いはとても不幸な出会いだったと言えるだろう。

本書にもあるように、アメリカと銃の関係は、どうにも切っても切れない、腐れ縁の関係にあるのも事実だ。特に銃規制問題はアメリカを分断し続けており、私がアメリカを見ていても、議論は過去四〇年間続けられてきたが、一歩も前へは進まない状態だ。今年のように米大統領選挙が行われる度に、銃に対する民主党と共和党の対立に光が当てられる。

二〇一六年の米大統領選挙では、私は妙な形でこの「銃」と政治の関係に遭遇した。ご存知のようにこの選挙戦では、民主党のヒラリー・クリントンと共和党のドナルド・トランプが対決した訳だが、メディアの多くは選挙直前になってもヒラリー優勢で勝利を得るだろう、と報じていた。しかし、世論調査の数字はじわりじわりとトランプ大統領が上げており、これならヒラリーの地滑り的な勝利は無いし、ひょっとするとトランプ氏の方がひょっとするかも、と考える私に、ある米人の知人がこう言った。

「それは無いと思うね」

彼はそもそも民主党びいきであるが、理論派でもあるので、自信ありげな彼になんでだい？　と聞くと、こう答えた。「一一月は狩猟が始まるシーズンだからね」

つまり、一一月は狩猟が解禁されるので、〝銃が好きな〟共和党支持者たちは一一月最初の火曜日には投票でなく狩猟場に行くだろう、だからヒラリーが勝つ、と言うのである。

結果はご存知のとおり、トランプが一般投票では負けたが、選挙人の数では上回り、勝利することになった。

「君の答えと結果は違った。狩りには行かなかったんじゃないか」と、くだんの知人を冷やかすと、平気な顔をして答えたものだ。

「いや、狩りには行ったんだよ、ただ今年は投票所でヒラリーを狩ったのさ」

やれやれ、日本流に言うとライフル銃を鉛筆に変えて投票に臨んだと言うのである。

それにしても、なぜ、日本国民はアメリカと言うと「銃の国」というイメージから抜け出せないのか。人生の四〇年ほどをアメリカの政治や外交、安全保障を見るジャーナリストとして生きてきた私には、この点が大きな謎となってきた。確かに、二一世期も二〇年が経とうというのに、「サムライ、ニンジャ、フジヤマ、ゲイシャ」がアメリカ人の日本に対する典型的なイメージだろう。

筆者はかのルース・ベネディクトが七〇年以上前に書いた『菊と刀』は、二一世紀のいまも日本を研究する米国人の必読書だと思う。実際に二〇二〇年（令和二年）に国際社会を震撼させた新型コロナウイルス禍の下で、なぜ他国に比べ日本人の死者数が少ないのかを各国が解き明かそうとする時に、この『菊と刀』の理屈である「日本人には菊＝自由を自制しても規律を受け入れる生き方があり、刀＝自己の責任を果たさんとの強固な意志がある」ために、政府が自粛を唱えるだけで、国民の大多数が粛々と指示に従ったメンタリティの秘密が解き明かせると考えるのだが、その伝でアメリカ版『菊と刀』を書くなら「銃と星条旗」というタイトルになるだろうと思う。この場合、銃は自由を最大限に尊重する頑固さを意味し、星条旗は、レーガン大統領がよく口にした「After all, we are all Americans.（結局は、我々は皆、アメリカ人なのだ）」という言葉に象徴されるように、米国社会ではアメリカ人であることが何をおいても優先するという考え方のことであろう。

銃が自由を象徴すると言うと顔をしかめる向きもあるとは思うし、もちろん、良好な日米関係の中で、先人たちが築き上げてきた良好な日米関係には、政治や経済、外交面での有意義で温かい関係があり、それらが現実の日米関係を動かす原動力となっているのは紛れもない事実である。しかし、その現実の絵図を一枚めくると、その下には典型的な「アメリカ＝銃」のイメージが根強く存在している。

そもそも、アメリカには『アメリカ銃の謎』（The American Gun Mystery）という題の推理小説まで存在する。エラリー・クイーンが書いた国名シリーズの一作なのだが、『ローマ帽子の謎』とか『ギリシャ棺の謎』とか、国名と話の中の重要な要素を結びつけて付けられたタイトルの中で、「銃と言えばアメリカ」という〝そのままな感じ〟を生かしたタイトルが面白い。ただ、このタイトルにあるように、私には長い間「アメリカ＝銃」という強いイメージが生き続けていることの核心部分が〝謎〟でもあった。それを私の大先輩の大橋記者が、今回、明快に解き明かしてくださったと思う。私はいま謎を解いた後のエラリー・クイーンのような、胸のつかえが取れた心境である。

私とアメリカ――西村洋子

東京大学卒。英国オックスフォード大学大学院修士取得。フジテレビアナウンス室、ニューヨーク支社勤務を経て政経部記者。フジテレビ退職後、UNHCRベオグラード事務所広報官。著書に『ボスニアに平和を』（サイマル出版会）。現在、成城大学非常勤講師。

テレビ局の仕事でニューヨークに赴任した私は、編集室で街頭インタビューのビデオを見て、思わず訊ねた。

「これって、編集済みですか」

「いや、カメラを回したままだよ」

なにしろ、ニューヨークの街角で、マイクを向けられた人全員が、しっかりと立ち止まって自信たっぷりに自分の考えを述べていたのだ。日本での街頭インタビューの経験を言えば、マイクを向けた五人中四人は「あ、すみません」と目を伏せて足早に去ってしまう。それだけに、目にしたビデオは、答えてくれた人だけを編集でつなげたのかと思ってしまったわけだ。

アメリカ人は、自分の考えをしっかり言う。中には、世間の考えからずれた意見や、聞いていて「ちょっとおかしいでしょ」と思うようなこともたまにあるのだが、それでもマイクに向かって堂々と言える。

私がフジテレビからニューヨークに派遣されたのは、アメリカでの日本語放送のキャスターを務めるためだった。今から三十数年前のことだ。オフィスの正面には超高層のロックフェラーセンターのビルが聳え立ち、隣はセントパトリック大聖堂というマンハッタンの中心地だった。一八階のオフィスの窓は一面ガラス張りだったので、にぎやかな高級ショッピング街の五番街が見下ろせた。この窓から、アメリカの多様性を象徴する、数々のパレードも眺めることができた。

普段は黄色いタクシーなどであふれかえる五番街から車が消え、代わりにゆったりと色鮮やかなフロートが進んでいく。感謝祭のパレードでは、アニメキャラクターの巨大バルーンが次々と現れる。アイルランド人のセント・パトリックス・デイのパレードは、人々がシンボルカラーの緑を身に着けて参加する。ベテランズ・デイには、国を守ったと誇らしげに歩く退役軍人たちに、五番街のビルからは紙吹雪が舞う。

かつては、株価情報の伝達に使われたティッカーテープという細長い紙が紙吹雪に使われたことで、大きなパレードはティッカーテープパレードとも呼ばれる。

少し変わったパレードでは、ゲイ・プライド・パレードがあった。黒い皮のぴっちりしたジャケットを着たマッチョの男同士が仲良く堂々と腕を組んで歩いていく。ニューヨークでは、同性愛者が差別撤廃や地位向上を目指して行ったこのパレードは、五十年も前に始まったらしい。

マンハッタンの五番街といえば、こんな光景も思い出す。一九八四年の大統領選挙の際、オープンデッキの車の上で、アメリカ史上初の女性の副大統領候補が大きく手を振っていた。女性の平等の権利を訴えて歓声を上げる女性たちに混じって、私もその姿を間近に見上げていた。

民主党の大統領候補、モンデール氏がランニングメイトに指名したのはニューヨーク出身のジェラルディン・フェラーロ下院議員。ショートの金髪をくるっとカールさせ、目鼻立ちのはっきりした聡明そうな女性だった。面白い選挙戦になってきたし、ここは女性候補にエールを送りたい、と善戦を祈った。

だが、結果は共和党の圧勝。現職のレーガン大統領が続投を決め、初の女性副大統領は実現しなかった。

フェラーロ女史はイタリア移民の二世だ。マンハッタンにはリトルイタリーという一角があるし、チャイナタウンは有名だ。歴史的に移民の入り口だったニューヨークだけに、ヒスパニック系はもちろん、ギリシャ、ユダヤなど多くの民族がコミュニティを作り、その記念日には祭りやパレードを繰り広げる。

アメリカ人が意見をはっきり言うのは、多くの移民が移り住み、多民族が競い合って繁栄をつかんできたこの国で、しっかり自分を主張しなければ生き抜けなかった、という背景があるのかもしれない。国際機関に勤める日本人の友人は、人種が集まる会議では、たとえ意見がダブっても、とにかく発言しないと存在が認められないのだと強調していた。

ただ、ニューヨークで出会った日系三世の若者のつぶやきも忘れることができない。

「子どものころは自分が周りと違うと思ったことはなかったけど、大人になって社会に出ると、自分が移民の子孫だと思い知らされるんだよ」

どんな差別に遭ったのかは知らない。結局、多民族の協調の一方で、民族コミュニティの絆は、根強く生き続けざるを得ないのだろう。

そんなニューヨークだから、テレビにも実に多様な言語での放送があった。ケーブルテレビが発達していたおかげもあるが、番組表を見ると、スペイン、イタリア、韓国、中国、インド、ギリシャ、ポーランドなどなど世界各国の名前が並ぶ。私が担当した日本語放送「おはよう！ニューヨーク」もその一つだ。

当時はまだオフィスにスタジオはなく、「おはよう！ニューヨーク」はニューヨーク市が持つ古い放送局から電波を出していた。一日二時間、日本から送られてくるニュースやドラマを放送して、ニューヨークのスタジオからは現地のニュースや天気予報を生で伝え、さらにニューヨークを訪問している日本の著名人のインタビューなどを組み込んだ。そして、地域の日本人コミュニティの活動やイベント情報も、しっかり紹介したのは言うまでもない。

ある時、放送本番中に、日本人学校の先生が慌てた様子でスタジオに飛び込んできた。小学四年生の男の子が前日から家に戻っていない、家族や先生が一晩探したが見つからない、番組で情報を呼びかけて欲しいというのだ。

行方のわからない男の子は、ニューヨークに来てまだ十日目の駐在員の息子さん。犯罪都市ニューヨークでは、子どもの誘拐事件は頻発していた。それだけに、ご両親は生きた心地もしなかったに違いない。

私たちは男の子の顔写真や衣服の様子など、わかる限りを生放送で伝え、どんな情報でも寄せて欲しいと視聴者に呼びかけた。すると、放送終了後まもなく、ブルックリンの韓国食料品店から電話が入った。友人の韓国人が一晩泊めた日本人の迷子を今自分の店に連れてきているが、今朝のテレビで捜していると言っていたのはこの子ではないか、と言うのだ。店に来た別の客が子どもを見て、テレビで呼びかけていた子だと言ったらしい。私たちはこの食料品店に急行した。

男の子は無事だった。駆け付けた母親に抱きしめられて、少しはにかんでいた。帰宅のバスを間違えたそうだが、言葉も通じない国でよく頑張ったと思う。男の子が無事に見つかったことは、韓国食料品店での対面の映像とともに、翌日の放送で報告した。

「私たち、隣同士の国じゃないですか」

と、喜んでくれた店のご主人は、日本語が少しわかる人だった。コミュニティ放送が、民族を超えて伝わって、みんなで子どもを助けられたことは、スタッフ一同本当に嬉しいことだった。

この日本語放送は、朝七時から始まるので、迎えの車に乗って、まだ暗いうちにダウンタウンのスタジオに入らなければならなかった。しかし、当時、たいへん治安が悪かったニューヨークは、子どもの誘拐のみならず、何かと危険が多く、緊張する街だった。

ある同僚女性は、休日の朝、タクシーでブロードウェイを南下してミッドタウンで左折した直後、間近で「バーン」と銃声が鳴り響くのを聞いた。助けを呼ぼうにも、人通りのない休日朝のオフィス街。同僚は、「早く行って!」と悲鳴を上げながら座席の下に身をかがめ、何とかその場所を走り抜けた。運転手は、男が撃たれたのを見た、と言う。やはり、目の前で銃撃があったのだ。撃たれた男がどうなったのか、その後のことはわからなかったが、同僚はしばらく体の震えが止まらなかったそうだ。

また男性スタッフはもっと怖い経験をしていた。彼は、深夜に帰宅途中、人気のない住宅街の真ん中でホールドアップの被害に遭った。背後から近づいてきた若い男の二人組に、「金を出せ」といきなり銃を突き付けられたのだ。当時ニューヨークでは同様の事件が相次いでおり、彼は先輩の忠告を思い出す。ホールドアップに遭ったら下手な抵抗はせずにすぐ金を渡せ、というものだ。結果、言われるままに百ドル程度の現金と腕時計を差し出したおかげで発砲はされずに済んだのだが、その後来てくれた警官には「こんな時間に一人で歩いちゃダメだろ」と説教されることになってしまった。

さいわい私はアメリカ時代、銃を向けられたことも乱射事件に巻き込まれたこともなかった。数回スリの被害に遭った程度だ。スリの技もなかなか巧妙で、交差点で信号待ちのほんの短い間にバッグの中の財布を盗られたのだが、すられていることに全く気付かなかった。また、公衆電話で通話中に黒人の男の子数人に囲まれたことがあった。「こういう少年たちに偏見を持ってはいけないわ」などと笑顔を作っている間に、まんまと財布を抜き取られていたのだから、かなり間抜けだ。

私が銃で思い出すとすれば、フジテレビを退社後に、国際機関の仕事で内戦中のユーゴスラビアに滞在していた時のことだ。

内戦中のボスニアでは、山の中に潜むスナイパーによる銃撃が各地で起きていた。首都サラエボでは道路に弾除けのコンクリート壁が立てられていたものの、市民が銃撃を受けて死亡するケースは珍しくなかった。

　また食料など人道支援物資を運ぶ国連のトラック部隊、コンボイも、頻繁にスナイパーに狙われた。その銃撃で、勇敢なドライバーたちが何人も命を落とした。

　視察のためにコンボイに同乗させてもらったことがある。危険地域を通過する際には、ヘルメットと防弾チョッキの着用を指示された。鉄の板の入った重いチョッキを、走るトラックの助手席で四苦八苦して身に着けた。コンボイはスピードをあげながら山道を走り抜ける。周囲には、破壊されたビルや家々の無残な光景が続く。屋根も窓も燃え落ち、一面に銃弾の痕が残る壁が突っ立っている。そこにかつて生活があった痕跡など、どこにもなかった。

　やがてコンボイは見晴らしのいい場所で停車した。そこには銃撃されて命を落としたドライバーたちの碑があったのだ。人道支援のために、ほかの国から志願してやってきたドライバーたち……。それでも、助けを待つ人々のために、コンボイは走り続ける。

　この日、私たちは銃弾を受けることなく、無事に目的地に到着し、物資を届けることができた。

私の最初のアメリカ体験は、七歳の時だった。医師の父がイェール大学で研究活動をするため、家族五人でコネチカット州ニューヘイブンという街に移り住んだ。昭和三九年の東京オリンピックの年で、まだ一ドルが三六〇円の時代だった。

当時小学校一年だった私と三年の兄は、家の近くの小学校に通うことになった。まるで古い城のような建物だった。まだ英語を話すことも聞くこともできない私は、黒人の子も白人の子もいる教室で、黙って座っているだけだった。それでも、近所の子どもたちと遊んだ記憶はあるのだから不思議だ。

一年間ほど住んだこの街には、それから十五年後、再び訪れる機会があった。当時の小学校は歴史建造物に指定されて保護の対象になっていた。さらに当時家族で住んでいた家を訪ねようとすると、地元の人が「あの通りは近づかない方がいい。危ない地域だから」と言う。さらに「どうしても行きたいのなら、車から下りてはダメだ」と言うのだ。危ない連中にからまれたり、強盗に遭ったりという危険があるらしい。

なんとか連れて行ってもらった通りは、さびれた家々が並ぶ薄汚れた界隈となっていた。アメリカ人のお姉さんと一緒にツイストを踊った家は、もうそこに建ってはいなかった。伝統ある大学町ですら、これほどの治安の悪化があろうとは……。アメリカの悲しい現実だった。

ニューヘイブンでの生活から二十年後に、私はニューヨークに住むことになる。さらにニューヨークから十数年後には、ワシントン近郊で子育てをすることになった。

三歳と四歳だった娘と息子は、当然ながら右も左もわからない。ともかく、現地の私立幼稚園に通わせることにした。お金のかかる私立の幼稚園だったせいもあるかもしれないが、イタリア、フランス、中国、韓国、さらには国際結婚の家族など、多様な人種の子どもたちに交じって二年半を過ごした。二人の子どもは、英語がわからないなりに、未知の環境に溶け込み、先生や友達との楽しい過ごし方を見つけて、たくましく成長していってくれた。

五十五年前、英語が一言もしゃべれない七歳の東洋人の女の子を受け入れてくれたのは、若い女の先生だった。教室の隅でおどおどしていたその子に、ときどき放課後に残って英語を教えてくれた。ちょっとふくよかな、笑顔の優しい先生だった。

そのイタリア系の先生とは、半世紀以上たった今でも、年に一度、クリスマスメッセージの交換を続けている。

あとがき

本書のために予定していたアメリカでの取材が、コロナ禍の影響でできなくなったのは残念至極だった。とはいえ、今回は直接に会って取材する人物はいなかった。会って話を聞きたくてもみなさん、すでに故人となっている。ならば何を取材するかといえば三つだった。

一つ目がコロラド州ライフル街のレストラン「シューターズ・グリル」で、拳銃の名前のついたハンバーガーを食べてみたかったことである。本書でも触れている通り、このレストランの従業員や客はほとんど、腰に本物の拳銃をぶら下げているという。オープン・キャリーの町だから法には触れていない。

二つ目はラスベガスにある最大のガンショップに行き、訪れた客をつぶさに観察したかったこと。そしていくらかの質問をぶつけてみたかったことである。

三つ目はラスベガスで銃の試射ができる場所で、生まれて初めて本物の拳銃を実際に手に持ちトリガーをひくことであった。狙撃犯の気持ちが少しでも感じられるかもしれぬ、と思ったからだ。手や腕に伝わるであろう衝撃の瞬間、手のしびれの感触。それこそが、狙撃犯とごく僅かではあるけれど「共有の感覚」を味わえるチャンスと思った。
まあ、考えてみればいずれもどうでもいいことばかり。この点を妻からは一言「バカだね。お金の無駄遣い」と一喝されてしまった。

本書はアメリカの新聞を調べることが多く、このため国会図書館に通う日々となった。ニューヨークタイムズ紙、ワシントンポスト紙、サンフランシスコ・イグザミナー紙などをマイクロフィルムで調べるのだ。手動で記事を上に下へと動かす。記事がぐるぐる動くから、一時間見ているだけで眩暈や吐き気をもよおす。まして横文字。語学の才の貧弱に加え、軽いメニエール病を抱えている私にはハード過ぎた。それでもチマチマと亀の如く、いや亀よりも遅く休んでは調べ、調べては休むという繰り返しであった。
だが、折からのコロナ禍の影響で国会図書館は閉鎖、調査は一時的に頓挫してしまった。私は心身とも疲れ、途中、救急車で東大病院に運ばれたこともあった。眼精疲労に加えてストレスも重なり、一時的な貧血状態であったらしい。しかし今は元気になった。

こうした状況下で支えてくれた人がいた。フジテレビの後輩二人だった。二人は友情出演ならぬ友情寄稿を喜んで受諾してくれた。松本方哉くんと西村洋子さん。ともにアメリカ通だ。方哉は若干三〇歳でワシントン特派員に抜擢されて以来、報道のエースとして活躍した。かの滝川クリステルの師匠というべき男である。一方、洋子さんはフジテレビ女子アナウンサー史上トップクラスの知性と行動力のある、素敵な女性である。私はそう思っている。しかも洋子さんは幼き頃にサラ・ウィンチェスター夫人の生まれ育った地域ニューヘイブンに住んでいたことを知り、驚いた。

ご両人に改めて感謝申し上げたい。

いつもながら編集の佐藤さんにはお手を煩わせた。的確なアドバイスには感謝あるのみである。ありがとうございました。

明治生まれ（一九一〇年）の私の母が十数年前に九六歳で亡くなった。遺品を整理していた時、箪笥の奥の奥に漆塗りの文箱を発見した。中身を見ると、私が小学生時代に二重丸をもらった赤茶けた作文だった。そして私が五十過ぎで初めてエッセイで最優秀をもらった時の新聞（「夕刊フジ」）の切り抜きも収められていた。サラ夫人の死後に見つかった、金庫のなかに収められていた娘の遺髪と夫の釣り糸の場面と重なったのだった。

本書を亡き母に捧ぐ。

浅草の自宅にて　二〇二〇年六月吉日

◉参考文献・参考資料

『アメリカ・インディアン悲史』（藤永茂著、朝日新聞社）
『アメリカ・インディアン』（青木晴夫著、講談社現代新書）
『インディアンの「文明化」』（トーマス・W・アルフォード著、中田佳昭・村田信行共訳、刀水書房）
『アメリカン・マラソン　米大統領選挙』（筑紫哲也著、角川文庫）
『ピューリタン』（大木英夫著、中公新書）
『スペイン戦争』（斉藤孝著、中公文庫）
『アメリカ歴代大統領の通信簿』（八幡和郎著、祥伝社黄金文庫）
『ケネディはなぜ暗殺されたか』（仲晃著、ＮＨＫブックス）
『ジョン・Ｆ・ケネディの謎』（堀田宗路著、日本文芸社）
『アメリカ暗殺の歴史』（ジェームス・マッキンレー著、和田敏彦訳、集英社）
『だからアメリカは嫌われる』（マーク・ハーツガード著、忠平美幸訳、草思社）
『ジョン・ウェインはなぜ死んだか』（広瀬隆著、文藝春秋）
『アメリカを生き抜いた日本人』（岡元彩子著、日経新書）
『昭和外国映画史』（毎日新聞社）
『偉人の残念な息子たち』（森下賢一著、朝日文庫）
『季節性うつ病』（ノーマン・Ｅ・ローゼンタール著、太田龍朗監訳、講談社現代新書）

『セオドア・ルーズベルトの生涯と日本』（未里周平著、丸善プラネット）
『銃器使用マニュアル』（カヅキ・オオツカ著、データハウス）
『銃の科学』（かのよしのり著、SBクリエイティブ、サイエンス・アイ新書）
『銃のギモン100』（小林宏明著、学研パブリッシング）
『図解スナイパー』（大波篤司著、新紀元社）
『銃の超入門』（小林宏明著、学研プラス）
『結局、トランプのアメリカとは何なのか』（高濱賛著、海竜社）
『ポーツマスの旗　外相・小村寿太郎』（吉村昭著、新潮文庫）
『妖怪インニューヨーク』（山田彊一著、ワイズ出版）
「台本　ラスト・シューティスト」（ゴールデン洋画劇場、フジテレビ）
『The Lincoln Conspiracy』（David Balsiger, schik Sunn classic Books）
『125 years of famous pages from the New York Times 1851-1976』
『Guns & Ammo』（Outdoor Sportsman Group）
『Rifles and Actions』（FRANK HAAS, DBI BOOKS）
『A Sorrow in our Heart: The Life of TECUMSEH』（Allan W. Eckert, BANTAM BOOKS）
『Winchester Mystery house: Gardens and Historical Museum』（1976）
『Lady of mystery-Sarah Winchester』（Ralph Rambo, The Rosicrucian press）

大橋義輝（おおはし・よしてる）

ルポルタージュ作家。

東京・小岩で生まれ育つ。明治大学（文芸学科）、米国サンノゼ州立大学（ジャーナリズム学科）、中国アモイ大学（中国語）、二松学舎大学（国文学科）等で学ぶ。

元フジテレビ記者・プロデューサー。元週刊サンケイ記者。

黒澤映画のエッセイ「私の黒澤明」で最優秀賞（夕刊フジ）。

著書に『おれの三島由紀夫』（不死鳥社）、『韓国天才少年の数奇な半生』『毒婦伝説』『消えた神父を追え！』『拳銃伝説――昭和史を撃ち抜いた一丁のモーゼルを追って』『紫式部“裏”伝説――女流作家の隠された秘密』（以上、共栄書房）、『「サザエさん」のないしょ話』（データハウス）。

アメリカと銃――銃と生きた4人のアメリカ人

2020年8月10日　初版第1刷発行

著者 ―― 大橋義輝
発行者 ―― 平田　勝
発行 ―― 共栄書房
〒101-0065 東京都千代田区西神田2-5-11出版輸送ビル2F
電話　03-3234-6948
FAX　03-3239-8272
E-mail　master@kyoeishobo.net
URL　http://kyoeishobo.net
振替 ―― 00130-4-118277
装幀 ―― 黒瀬章夫（ナカグログラフ）
印刷・製本― 中央精版印刷株式会社

ISBN978-4-7634-1094-8 C0036